Coups de foudre en 2 temps

PAR

Émilie Rivard

Catalogage avant publication de Bibliothèque et Archives nationales du Québec et Bibliothèque et Archives Canada

Rivard, Émilie, 1982-
Coups de foudre en 2 temps

(Charme)
Pour les jeunes de 12 ans et plus.

ISBN 978-2-89709-015-9

I. Titre. II. Titre : Coup de foudre en 2 temps.

PS8635.I83C68 2014 jC843'.6 C2014-941912-0
PS9635.I83C68 2014

Auteure : Émilie Rivard
Graphisme : Mika

Dépôt légal — Bibliothèque et Archives nationales du Québec, 4e trimestre 2014

ISBN 978-2-89709-015-9

Gouvernement du Québec — Programme de crédit d'impôt pour l'édition de livres — Gestion SODEC

Boomerang éditeur jeunesse remercie la SODEC pour l'aide accordée à son programme éditorial.

Nous reconnaissons l'aide financière du gouvernement du Canada par l'entremise du Fonds du livre du Canada (FLC) pour nos activités d'édition.

Imprimé au Canada

En souvenir de la vie avant Internet.
Même si tout était un peu plus compliqué...

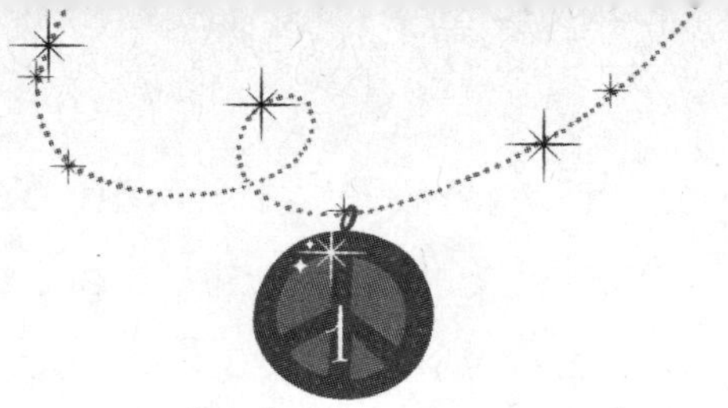

UNE BÉDÉISTE EST NÉE !

Je n'ai jamais été aussi pressée de me rendre au centre communautaire. Mille fois plus que le jour où mes parents m'avaient forcée à suivre des cours de patinage artistique (UNE CATASTROPHE !) et deux mille fois plus que celui où mon père s'était dit que je deviendrais sûrement une fantastique joueuse d'échecs (UN VRAI DÉSASTRE !). Je suis très contente de me sauver de la vaisselle du souper, évidemment, et de mon devoir de maths, qui attendra à plus tard. Si je suis si heureuse d'entrer dans ce grand bâtiment brun, en fait, c'est parce que, pour une fois, ma mère a accepté de m'inscrire à un cours qui me passionne vraiment : des ateliers de bande dessinée.

J'ai quand même dû négocier un minimum.

— De bande dessinée, Béatrice ? Vraiment ? Tu ne préférerais pas la peinture à l'huile ?

Je crois même qu'elle a osé faire une blague du genre «c'est plus difficile, mais bien plus beau que la peinture à l'eau». J'ai tenu mon bout et elle a fini par signer ce chèque dont j'avais besoin pour payer mon cours.

J'aurais adoré que mon amie Katerine m'accompagne. Elle aime bien dessiner, elle aussi. Elle remplit moins de marges de ses cahiers scolaires que moi, mais quand même, elle collectionne quelques jolis spécimens dans son agenda. Elle a décidé de ne s'inscrire à aucune activité à l'extérieur de l'école pour commencer son secondaire «en force», comme elle dit. Des fois, je la trouve trop sérieuse, ma Kat. Quand je le lui fais remarquer, elle répond habituellement:

— On ne peut pas toutes être FOLLES comme toi!

— C'est comme ça que tu m'aimes, pas vrai?

— Tu le sais trop bien!

Je suis les pancartes «Cours de BD, local 112». Elles me mènent à une pièce qui ressemble beaucoup à une salle de classe. Plusieurs jeunes sont arrivés. Je remarque

que cette activité attire surtout des garçons. En fait, jusqu'ici, je suis la seule fille. Je ne me soucie cependant pas de ce genre de détails. Que ce soit en étant la seule fille, en ayant des vêtements plus colorés que tout le monde ou en parlant d'un artiste peintre ou d'un auteur que personne d'autre ne connaît, j'ai l'habitude de détonner... et parfois d'étonner ! Ma mère dit souvent, d'ailleurs, qu'elle a donné naissance à une extraterrestre.

Brian, un gars qui allait à mon école primaire, me fait signe de le rejoindre. On n'a jamais été de grands copains, mais il ne m'a jamais mordu comme Constant, volé mon yogourt aux jujubes et aux pépites de chocolat (MON INVENTION) comme Tommy et n'a jamais insulté Plob, mon ami imaginaire en maternelle, comme Ulysse. Je n'ai donc pas d'objection à m'assoir à la même table que lui.

— Je ne suis pas étonné de te voir ici, Béatrice ! me lance-t-il en guise d'accueil.

— Même chose pour toi. Je me souviens de la bande dessinée que tu avais faite l'an dernier...

— Celle qui m'avait valu une visite chez le directeur parce que mon personnage tranchait des têtes avec une scie à chaîne ?

— Elle était un peu sanglante, mais vraiment bien illustrée !

— Euh... Merci.

Je sais très bien que Brian avait créé son « œuvre » en grande partie pour traumatiser les filles, et, oui, elle était dégoûtante, mais on pouvait quand même reconnaître son talent.

Un homme grand, barbu et bâti, qui ressemble plus à un bûcheron maniant justement la scie à chaîne qu'à un artiste, se racle la gorge pour attirer notre attention.

— Salut tout le monde ! Vous pouvez m'appeler Barbu. Je suis bédéiste et votre prof pour les dix prochaines semaines. Sachez qu'ici il n'y a AUCUNE LIMITE à ce que vous pourrez inventer.

Il nous propose de sauter immédiatement dans l'action, sans pression, pour le plaisir.

— Imaginez un personnage en vous basant sur l'une de ces formes.

Sans surprise, Brian griffonne un robot armé jusqu'aux dents. Un gars près de moi dessine un grand-père courbé très réussi. Un autre, à qui je n'ai jamais parlé, mais qui est dans ma classe, peine à tracer une silhouette convaincante. Gêné, il explique :

— Ça ira mieux la semaine prochaine, je me suis foulé un doigt en m'entraînant avec mon équipe de volleyball.

Excuse facile ? Peu importe, je le comprends un peu d'être intimidé. Tous les participants à l'atelier ont beaucoup de talent !

Barbu jette un coup d'œil sur mon dessin presque terminé et éclate de rire. J'aurais pu être offusquée, mais je n'ai pas l'impression qu'il se moque de moi. Surtout lorsqu'il ajoute :

— Je sens qu'on va bien s'amuser dans ce cours !

Brian regarde à son tour ma feuille, sur laquelle il aperçoit une aubergine superhéroïne.

— Il y a vraiment juste toi qui pouvais penser à une chose pareille, Béatrice !

Pourtant, en voyant les formes, c'est aussitôt ce légume masqué qui m'est venu à l'esprit.

Je suis peut-être une extraterrestre pour vrai, après tout.

À la fin du cours, je salue Brian, Barbu et le garçon de ma classe dont j'ai oublié le nom. J'espère m'en souvenir et ne pas avoir à l'appeler « GARS-QUI-S'EST-FOULÉ-LE-DOIGT-EN-JOUANT-AU-VOLLEYBALL » jusqu'à la fin de ses jours. C'est un peu long.

Le cœur léger, je retourne chez moi. Dans la maison, tout est si calme qu'on la croirait vide. Mais non. Mes parents lisent au salon, pendant que mon frère fait ses devoirs. Philippe le parfait fait toujours ses devoirs.

— C'était bien, ton cours ? demande maman.

— Super !

— Génial ! File faire tes travaux, maintenant.

Dans ma chambre, j'ai du mal à terminer mon devoir de mathématiques. Une idée me trotte dans la tête depuis que mon regard s'est posé sur ce vieux chandail vert uni, qui traîne sur mon fauteuil de lecture. Je finis en vitesse d'aligner les chiffres dans mon ennuyant cahier, puis, malgré l'heure tardive, je sors mes pinceaux. J'ai si hâte à ce moment où

je pourrai passer tout mon temps à dessiner ! Et quoi qu'en pensent mes parents, ce jour viendra…

ENCHANTÉE, BOB…

J'ai fini de peindre mon chandail vers une heure du matin. Quand le réveil sonne, à sept heures piles, je suis donc trop endormie pour juger si mon vêtement personnalisé est assez joli ou non pour être porté. Après une douche rapide (PHILIPPE LE PAS-SI-PARFAIT-APRÈS-TOUT A DÉCIDÉ QUE LUI SEUL MÉRITAIT L'EAU CHAUDE), je l'enfile sans me poser plus de questions, avant de descendre à la cuisine.

— Béatrice ! D'où sors-tu ce chandail ?

— Je l'ai acheté sur Internet en me servant de ta carte de crédit, papa.

— Quoi ?

— Ne t'en fais pas, il était en vente. Il ne m'a coûté que 30 $.

— Quoi ?

— US.

— Béatrice !

— Maintenant que j'y pense, c'étaient peut-être des euros...

Devant le visage rouge de colère de mon père, j'ajoute, en riant :

— Mais non, papa ! Je blague ! Je l'ai peint.

— Ah ! C'est... original.

Je souris en retour. Venant de mon père, « original » est le plus beau compliment que je puisse récolter. Philippe hoche la tête en chuchotant « cinglée ». Je souris en retour. Venant de mon frère, « cinglée » est le plus beau compliment que je puisse récolter. Avant, quand il me traitait de folle, je me fâchais. Maintenant, je traduis « ma sœur est disjonctée » par « ma sœur est beaucoup trop différente de moi » et ça me plaît beaucoup !

Une fois mon bol de céréales vidé, j'enfile ma veste d'automne et je marche mécaniquement jusqu'à l'école. Mon cerveau est resté sur mon oreiller. J'aurais pu atterrir n'importe où plutôt que devant ma case : à la pharmacie du coin, endormie dans le rayon des couches, dans une pirogue vénitienne ou sur ma terre martienne d'origine.

— Ouf ! Béa ! Ça va ?

— Mmmmoui ! Pourquoi poses-tu la question, Katerine ?

— Parce que tu as remis le manteau que tu venais juste d'accrocher dans ton casier et parce que tes yeux ont la grosseur de bouts de dents de fourchette.

Je grogne pour lui signifier que j'arriverai à m'en tirer... mais qu'elle devra peut-être me traîner de force jusqu'à notre première salle de classe.

— Et Béa, laisse ton manuel de maths, on n'a même pas de maths aujourd'hui.

Cette nouvelle a l'effet d'une deuxième douche froide.

— QUOI ? J'ai fait le devoir pour rien hier ?

Katerine glisse mon livre d'anglais dans mes mains et me pousse dans la bonne direction. Je présume. Mon sens de l'orientation dort sur mon oreiller avec le reste de mon cerveau. Ou à la pharmacie du coin, dans le rayon des couches.

Miss Georgia fait l'appel des noms : je crois que j'ai dit oui à trois prénoms

qui ne m'appartenaient pas, dont un de garçon. Et une bonne demi-heure plus tard, pendant que l'enseignante tente de nous faire rentrer dans le crâne une liste de verbes irréguliers, je réalise que j'ai raté ma chance de connaître le nom de Gars-qui-s'est-foulé-le-doigt-au-volleyball. ZUT !

J'en suis encore plus déçue quand, à la fin du cours, je fonce directement dans GQSFLDAV (c'est déjà un peu moins long...) à cause de mes yeux qui ne veulent s'ouvrir qu´à moitié.

— Je m'excuse... Bob.

Je suis certaine à 80 % qu'il ne s'appelle pas Bob, mais j'assume mon erreur.

— C'est Nathan, en fait.

— Est-ce que ça te dérange, si je t'appelle Bob ?

— Non, répond-il, amusé. J'adore ton t-shirt, en passant. C'est ton personnage d'hier, ça, non?

— Oui, merci.

— Bon bien... *Bye*, Béatrice !

— *Ciao*, Bob !

Je sors et je tourne à droite, le suivant instinctivement. Quelqu'un me retient soudain par l'épaule.

— Tu dois aller de l'autre côté, Béa.

— Ah ouais ! C'est vrai. Merci, Kat.

Elle me guide jusqu'à mon casier, puis, attendant que personne ne soit en vue, elle dit, avec son visage de coquine curieuse :

— Comme ça, « BOB » suit les ateliers de BD avec toi ? Il avait l'air bien content, d'ailleurs.

— Content de...

— D'être avec toi !

— Avec moi où ?

— Fais-tu exprès pour ne rien comprendre aujourd'hui, cervelle de caille ? Tu n'as pas remarqué comment il te regardait ? Il complimente ton chandail, te laisse l'appeler Bob et se souvient de ton nom, LUI...

— Tu penses que je l'intéresse ?

— Réveille, Béa ! C'est clair !

— Ah bon. Et lui, il devrait m'intéresser ?

Katerine se fige, découragée. Elle croit que je plaisante, mais pas du tout ! C'est elle, la spécialiste dans le domaine des gars.

Elle, qui tapisse sa chambre d'affiches d'acteurs américains et de chanteurs québécois. Elle, qui remarque les regards doux que s'échangent les futurs couples avant même qu'eux-mêmes s'imaginent amoureux.

— Je ne sais pas, moi ! Les blonds, ils ne m'ont jamais attirée…

— Béa ! Nathan a les cheveux encore plus foncés que les tiens !

— Penses-tu que je devrais retourner me coucher ?

— Oui.

Pendant la pause, j'appelle ma mère à son bureau. Elle ronchonne un peu quand je lui raconte que l'insomnie m'a tenue éveillée une bonne partie de la nuit, mais elle finit par motiver mon absence pour les deux périodes suivantes, éducation physique et art.

— Mais ne rate pas ton cours de français, par contre !

— D'accord, fais-je, résignée.

Quelques heures d'un sommeil de plomb me ramènent sur terre. Je songe maintenant de façon plus lucide à cette dernière conversation que j'ai eue avec Katerine. Nathan, hein? Comment j'ai pu penser qu'il avait les cheveux blonds? Mon amie a bien raison, ses cheveux sont presque noirs! Comme ses yeux. Je crois. Nathan, hein? Il est bien gentil, mais il me paraît un peu étrange, sans que je sache vraiment ce qui le rend différent. Pas que j'aie quoi que ce soit contre la différence, au contraire, mais j'aimerais bien m'assurer que son originalité n'entre pas dans la catégorie «personne qui mange de la pâte à modeler en cachette» avant de m'attacher à lui.

Je rejoins Kat au pas de la porte du cours de français cinq secondes avant que la cloche sonne. Je remarque Bob-Nathan au fond de la classe. Je me permets donc de chuchoter à l'oreille de mon amie:

— Penses-tu qu'il mange de la pâte à modeler en cachette, CE BOB?

Elle éclate de rire, en répondant simplement:

— Je vois que tu as bien dormi...

Ce n'est pas une vraie réponse, ça! ZUT! Je ne suis pas plus avancée.

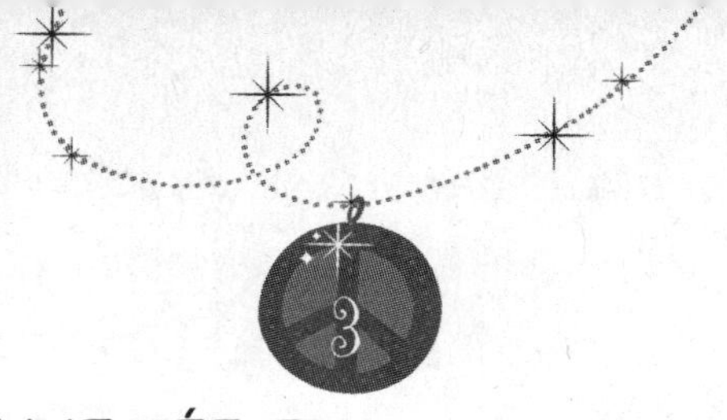

UNE FÉE ET UN COWBOY

— Alors, papa, tu viens ?

— Oui, oui, Béatrice ! Laisse-moi seulement finir de repasser ma chemise pour demain.

Je savais. JE SAVAIS que j'aurais dû partir à pied juste après le souper. Mais non ! Il a fallu que je croie mon père, quand il m'a dit : « Prends le temps de mâcher, Béatrice, j'irai te reconduire au centre communautaire, si tu veux. » Je l'ai trouvé si gentil, mon petit papa ! Puis je me suis rappelé que c'est toujours la même chose quand il me conduit quelque part : il se décide à exécuter mille tâches avant de quitter la maison et nous arrivons sans cesse en retard. Pour lui, il est bien plus urgent d'avoir une belle chemise sans pli qu'il n'enfilera pas avant demain que d'être à l'heure à un futile cours de bande dessinée ! GRRR !

En montant dans la voiture, je peste en regardant l'heure. L'atelier est déjà commencé. Mon père remarque mon air boudeur et dit :

— Franchement, Béa ! Ce n'est pas une question de vie ou de mort !

Vaut mieux ne rien répondre du tout. Je reste donc silencieuse durant tout le trajet et je sors en claquant la porte. Je cours dans les couloirs du centre communautaire, au grand malheur d'un employé qui essaie de me faire ralentir en émettant un : « TUT ! TUT ! TUT ! JEUNE FILLE » peu convaincant.

Dans le local 112, Barbu explique comment bien diviser son histoire. Je m'excuse timidement et je cherche du regard une place libre. Une chaise semble m'attendre à côté de Brian, mais Nathan me fait signe de le rejoindre. C'est plutôt sympathique de sa part !

Après quelques minutes supplémentaires de théorie (heureusement beaucoup plus intéressante que nos cours à l'école), Barbu déclare :

— Bon ! Je vous ai assez embêté comme ça aujourd'hui ! C'est à vous de travailler,

maintenant! J'aimerais vous voir créer un personnage inspiré... de vous-mêmes!

Ouf! Je trouve beaucoup plus facile d'illustrer des AUBERGINES SUPERHÉROÏNES... Je crayonne un instant sans conviction, laissant ma mine se promener à son gré sur le papier. À côté de moi, Nathan a tôt fait de dessiner un drôle de cowboy qui lui ressemble en tout point. Son doigt foulé va mieux, si je me fie à la qualité de son illustration. Il a un style réaliste épatant, bien loin de mes personnages souvent très exagérés.

Je finis par créer une petite bonne femme plutôt satisfaisante. Je crois qu'on peut facilement y reconnaître mon air coquin et mes cheveux trop frisés. J'ai décidé d'en faire une fée rigolote.

Quand Nathan tourne la tête vers moi, j'en profite pour le complimenter:

— Il est superbe, ton cowboy, Bob!

— Merci. J'adore ta fée, aussi. Mais... non, rien, s'arrête-t-il.

— Quoi? Ne te gêne pas, hein! On est ici pour apprendre et je ne suis pas du genre à

mal prendre la critique. Bon! C'est vrai que j'ai frappé à coups de poêle à frire le dernier qui m'a fait un commentaire négatif, mais j'ai réussi à lui recoller toutes les dents qui sont tombées! Tu n'as donc pas à t'en faire!

Il éclate de rire, avant de dire:

— Tu me rassures, là. Je suis juste étonné de voir que tu te dessines plutôt petite et rondelette...

Rondelette. Il parle comme une «matante»! Et d'ailleurs, ce n'est pas le but de la caricature, d'exagérer certaines de nos caractéristiques? Quand je lui fais remarquer, il réplique:

— Oui, mais tu n'es pas grosse du tout!

Je ne sais pas trop quoi répondre d'autre que:

— Merci.

— C'était plus une constatation qu'un compliment... parce que, si tu étais plus ronde, tu serais jolie quand même. Comme ton image...

Je sens qu'il veut être gentil, mais sa maladresse le met mal à l'aise et moi aussi, du même coup. Je tourne ma feuille et j'essaie de me dessiner moins «rondelette», mais je n'y parviens pas. Je demande donc à Nathan:

— Et toi, comment me dessinerais-tu?

Un coin de sa bouche se relève en un demi-sourire tout à fait charmant. Avant qu'il n'ait le temps de répondre, Barbu annonce la fin du cours et nous nous séparons en nous saluant rapidement.

En arrivant à la maison, j'appelle Kat pour lui parler de cette drôle de soirée.

— Quoi? Il a vraiment dit ça dans ces mots?

— Qu'est-ce que tu veux dire?

— Bien, il a carrément dit que tu étais jolie, si je ne me trompe pas!

— Euh… J'imagine que oui.

QUELLE GROSSE NOUILLE JE SUIS! Ah non, c'est vrai, pas grosse, c'est Nathan qui l'a dit! Un garçon me fait des compliments sans aucune subtilité et je ne m'en rends même pas compte! En même temps, c'est peut-être mieux comme ça. Sinon, j'aurais rougi comme une tomate au soleil et je me serais mise à bafouiller. Je ne suis pas d'un naturel gêné,

mais je n'ai pas l'habitude d'être complimentée et j'en perds mes moyens, ce qui me fait mourir de honte !

— Et qu'est-ce que tu as répondu ? s'informe Kat.

— Je ne me souviens plus trop. J'ai fini par lui demander comment lui m'aurait dessinée.

— POUR VRAI ? TOI ? Tu as osé *cruiser* ouvertement un gars ? Je suis fière de toi, ma grande ! C'est vrai, après tout, il ne faut pas toujours attendre qu'eux nous le fassent, hein !

— Kat ! Tu crois qu'il a pu penser que je le *cruisais* en disant ça ?

— Ça me semble assez évident...

— Oups.

— Mais tu le trouves plutôt mignon, non ?

Je revois son demi-sourire, puis son dessin de cowboy qui aurait séduit n'importe quelle cowgirl du Far West. Étrangement, je suis gênée de donner ces détails à ma meilleure amie. Je préfère donc être fidèle à moi-même dans ce genre de situation et blaguer :

— Il a un super nez. Et des lobes d'oreilles parfaits ! Jamais vu de tels lobes.

— Tu me décourages, Béa ! Je te laisse, je dois finir mon devoir de français interminable.

— Interminable, hein ?

— Oui.

— ZUT. Je vais commencer maintenant, alors.

Mais comment me concentrer sur des règles de grammaire ennuyantes quand l'image d'un cowboy traîne dans ma tête ?

LES HÉROÏNES DE DEMAIN

À l'école, le lendemain, puis durant une bonne partie de la semaine suivante, Bob-Nathan me salue quand nous nous croisons, sans plus. Il ne m'évite pas, mais ne cherche pas non plus à entamer de grandes conversations sur le sens de la vie et le pourquoi du bleu du ciel avec moi.

— Bien là, parle-lui ! me presse sans cesse Kat, dès qu'il est dans les parages.

— Et lui dire quoi ? Je ne vais quand même pas le suivre comme un chien de poche !

Je n'ai pas à être à ses côtés à tout moment. De toute façon, son visage est bien imprimé dans mon cerveau en permanence. Mais ça, je ne le révèle pas à mon amie. Quand le prof de mathématiques nous explique une formule algébrique, je vois les yeux de Nathan entre les 2X, les 3Y et les =. Quand le prof d'anglais fait jouer un extrait de *Shrek* dans la langue

originale, je vois Bob à la place de l'âne! Je sais que c'est absurde. Franchement! L'âne! Et venant de moi, surtout. Moi, celle qui a toujours considéré les gars autour d'elle comme de bons amis, au même titre que les filles. Je me suis souvent dit qu'un jour je tomberais sûrement amoureuse, mais pas maintenant. Pas de ces garçons un peu idiots qui se lancent des petites boulettes de papier quand les enseignants regardent ailleurs! Je suppose que Nathan n'est pas comme les autres...

Plus Katerine essaie de me convaincre d'aller lui parler, plus je suis embêtée par le fait que Nathan ne semble pas souhaiter échanger plus qu'un «HEY! SALUT! COMMENT ÇA VA?»

Le jeudi soir suivant, Bob-Nathan s'assoit à côté de moi sans hésiter, ce qui me rassure un peu. Et quand Barbu nous annonce qu'il lancera sa prochaine bande dessinée pour adolescents à la bibliothèque du quartier samedi en après-midi, Nathan me glisse à l'oreille:

— Tu m'accompagnes?

Mon sourire de publicité de dentifrice fait office de réponse. J'aurais préféré trouver la force de prononcer: «Bien sûr, Bob!», mais un énorme FRISSON qui relève tous les poils sur mes bras tels un tsunami d'émotions m'en empêche. Voilà pourquoi je ne voulais pas être amoureuse avant d'être vieille. Parce que je suis certaine qu'une fois vieille, ça me dérangera moins d'avoir l'air d'une grosse nouille. J'aurai affronté plusieurs chutes sur des plaques de glace. J'aurai raté mille recettes. J'aurai quelques fois sorti ma carte de bibliothèque plutôt que ma carte de guichet pour payer l'épicerie, comme ma mère. Mais là, maintenant, je n'ai pas tant d'expérience dans le domaine du «AVOIR L'AIR D'UNE TARTE». Et je crois que c'est assez indissociable du domaine du «être amoureuse».

Durant tout le reste du cours, je me sens terriblement inconfortable et je n'ose à peine parler. Ça me ressemble très peu. Je cours presque jusqu'à la maison pour me faire rassurer par mon frère, Philippe, expert en relations gars-filles. Mais non. Je blague.

J'appelle plutôt Kat, la vraie spécialiste. Elle a vu toutes les comédies romantiques des dix dernières années.

— Il ne t'a sûrement pas trouvée nulle DU TOUT ! Mais... samedi, il vaudrait peut-être mieux que tu réussisses à répondre à ses questions un peu plus naturellement.

— Et je fais ça comment ?

— Aucune idée.

Avec ces grands conseils en poche, je rejoins Nathan à la bibliothèque. J'ai le pire nœud du monde dans l'estomac. Voyons ! Qu'est-ce qui se passe avec moi ? Un garçon me dit que je suis jolie et soudain je n'arrive plus à parler ? Et parler, c'est ma spécialité ! J'utilisais des mots de trois syllabes avant d'apprendre à marcher, paraît-il ! En me rappelant ce détail de ma future biographie, je me calme un peu. Mais quand j'aperçois Nathan, ses cheveux noirs et ses lobes d'oreilles parfaits, discuter avec Barbu dans le hall de la bibliothèque, mon cœur se met à battre un peu plus vite. Beaucoup plus vite.

Décidée à ne pas perdre la face cette fois-ci, je reprends tout mon courage et je traverse les quelques mètres qui me séparent d'eux. Barbu me salue :

— Hé ! Béatrice ! Je suis content que tu aies pu venir !

— Oui, je suis contente aussi.

— Je vous laisse, les jeunes, mon éditeur arrive.

Nathan et moi nous dirigeons également vers la salle où se déroule le lancement, retrouvant une foule un peu plus compacte d'amateurs de bande dessinée. Nous achetons chacun une copie du livre de Barbu, que nous faisons dédicacer, puis nous nous éloignons un peu pour donner la chance à d'autres de faire de même. J'aperçois Brian, près de la section des bandes dessinées de la bibliothèque et nous le rejoignons.

— Salut vous deux ! Vous avez acheté la BD de Barbu ? Ça a l'air bon, hein ?

Je réponds simplement :

— Oui. Très bon.

Le silence qui suit me rend un peu mal à l'aise, mais j'ai peur d'agir comme une tarte devant Nathan en ouvrant la bouche. Je me dis soudain que de parler d'un sujet que je maîtrise bien m'aidera à montrer que j'ai un cerveau plus gros que celui d'une truite arc-en-ciel.

— Avez-vous déjà remarqué que les bédéistes sont pour la grande majorité des gars ?

— C'est vrai, approuve Nathan.

— Et c'est ce qui fait que les héros sont presque tous des gars. Ou alors des personnages de filles aux seins énormes et à la cervelle minuscule.

— Tu exagères, Béatrice ! s'oppose Brian. Ce à quoi je réplique :

— Regarde autour de toi !

Brian réfléchit une seconde, puis lance :

— J'imagine que c'est ce que les gens ont le goût de lire !

— Béa a raison. Les personnages de filles sont très souvent stéréotypés ! me défend Nathan.

— Une héroïne avec un corps ordinaire habillée de façon ordinaire, qui pense et agit

comme un héros masculin… Il me semble que ce serait plate, non?

Sa réplique me donne envie de l'enfoncer dans le rayon d'albums. Je voudrais lui donner mon avis, mais je suis trop en colère pour arriver à articuler quoi que ce soit. Nathan s'en charge:

— Plate? C'est donc bien MACHO ce que tu dis là! C'est justement à force de ne voir que des gars dans les BD que les lecteurs finissent par penser comme toi!

Il lui tend un *Mafalda* et ajoute:

— Tiens. Lis ça, ça va te changer les idées.

À court d'arguments, Brian émet un «tsss» et tourne les talons. Lorsqu'il est hors de notre vue, je demande à Nathan:

— Tu la publies quand, ta bande dessinée avec une héroïne à la GROSSE CERVELLE, alors?

— Hé hé! Un jour, j'espère!

— Bon! Faudrait que je retourne chez moi…

— Moi aussi. On fait un bout de route ensemble?

— Bien sûr!

Alors qu'on passe devant mon ancienne école primaire, je mentionne cet autre détail de ma biographie. J'ajoute :

— Et toi, à quelle école allais-tu au primaire ?

— Aucune. On fait l'école à la maison pendant notre primaire, mes frères, mes sœurs et moi.

C'est étrange. Mais ça explique probablement pourquoi je le trouve si différent des autres. Peut-être ne mange-t-il pas de pâte à modeler en cachette, après tout !

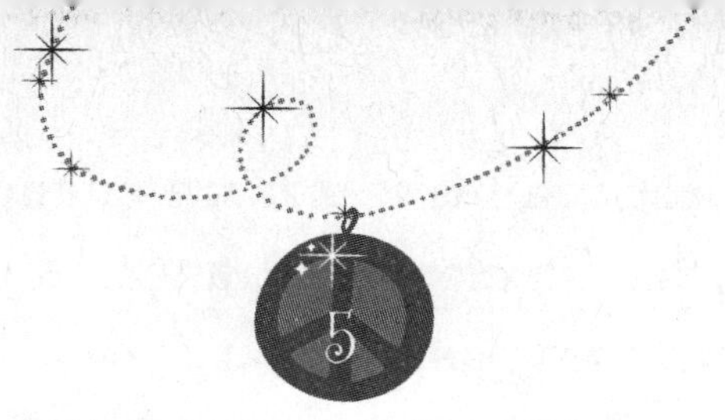

ARRANGER LE PORTRAIT

Comme nous n'avons pas eu le temps de nous voir, ni même de nous parler au cours de la fin de semaine, je raconte à Katerine ma journée de samedi sur l'heure du dîner, dans un coin de la cafétéria. Près de nous, nos amies Jessica et Mia sont en pleine contemplation de leur magazine favori et ne prêtent aucune attention à notre conversation.

— Il n'est jamais allé à l'école avant cette année? s'étonne Kat.

— Non.

— C'est vraiment bizarre. Est-ce qu'il est comme dans une secte?

— Mais non! Franchement, Kat!

— Mais tu ne trouves pas ça bizarre?

— Au début, oui. Mais je me dis pourquoi pas. Et ça leur permet d'avoir plus de vacances et de passer quatre mois en France, dans la famille de sa mère.

— C'est vraiment bizarre quand même. D'ailleurs si sa mère est Française, pourquoi est-ce qu'il n'a pas d'accent français, lui ? Et cette année, comment fera-t-il pour passer quatre mois en France ? C'est louche, tout ça...

Souvent, Katerine me fait rire quand elle se met à juger les gens. Elle a toujours le mot juste pour se moquer sans être trop méchante. Mais cette fois-ci, elle me fâche un peu. Plus que je veux bien l'avouer, en fait.

Soudain, Kat jette un coup d'œil derrière moi et chuchote juste assez fort pour que je l'entende à travers le bruit constant de la cafétéria :

— Tiens, en parlant du loup BIZARROÏDE...

Je n'ai pas le temps de rouspéter, je sens la présence de quelqu'un très près de moi. Je lève la tête et j'aperçois Nathan qui a revêtu pour l'occasion son plus joli petit air gêné.

— Allô, Bob !

— Allô, Béa.

Il pose près de moi un papier plié, puis retourne vers ses amis après un clin d'œil irrésistible. Je suis très intriguée, mais je n'ose pas l'ouvrir devant les filles, qui me fixent avec des yeux ronds.

— Qu'est-ce que c'est ? demande Kat.

— Je ne sais pas.

— Eh bien, ouvre-le !

Sentant mon hésitation, Jessica me retire la feuille des mains et la déplie en vitesse. Une colère terrible gronde en moi, jusqu'à ce que j'aperçoive ce qui se trouve sur la fameuse feuille. Jessica, Mia, Kat et moi sommes toutes trois abasourdies. Sur ce papier est illustrée une fille, assise sur un banc de parc, qui regarde au loin, ses cheveux bouclés soulevés par le vent. Le dessin est superbe. Je ressens aussitôt un grand vertige en me reconnaissant, bien plus belle cependant que je me perçois en réalité. Mais il n'y a pas de doute, la fille sur le dessin porte mon chandail d'aubergine. Nathan a relevé mon défi.

Pendant que mes trois amies s'extasient, je reste muette. Kat me presse soudain de questions :

— Qu'est-ce que tu vas faire, Béa ? Tu comprends que, maintenant, la balle est dans ton camp, non ? Tu vas le dessiner aussi ? Ou tu vas carrément aller lui déclarer ton AMOUR ?

En fait, je dis ça, mais est-ce que tu es vraiment amoureuse de lui ?

Si être amoureuse signifie que le cœur s'arrête et qu'on a le cerveau en Jello dès qu'on pense à la personne, qu'un cratère se forme sous nos pieds quand on l'aperçoit, qu'on gazouillerait alors qu'on entend sa voix… j'imagine que oui, je suis amoureuse. À savoir quelle est la prochaine étape, ça, par contre, j'e n'en ai aucune idée. Ce n'est pas comme si la marche à suivre était écrite dans les livres, malheureusement ! Katerine a raison ; c'est maintenant à mon tour d'agir. Mais que faire ?

Durant tout mon cours de mathématiques, j'ouvre mon agenda à la page où j'ai glissé mon portrait pour le regarder une fois de plus. Ça paraît un peu prétentieux d'admirer ainsi sa propre silhouette, mais je ne peux pas m'en empêcher. Comme j'aimerais être aussi jolie et avoir un air aussi zen et profond que sur cette image !

Je retire une feuille lignée d'un cahier à anneaux, puis j'essaie de reproduire le visage de Nathan. Ses yeux ronds et intelligents, son nez plutôt petit, ses lèvres expressives, son menton carré... Je n'y arrive pas. Je sens sa présence derrière moi, ce qui ne m'aide pas du tout ! Ma gomme à effacer fait disparaître mes traits de crayon aussi vite que la mine les trace. Soit je lui donne des allures de singe, soit il ressemble à une fille, ce qui est très loin de la réalité dans les deux cas ! J'aimerais tant parvenir à lui montrer, moi aussi, comme je le trouve beau !

À la fin de la période, ma feuille est trouée par endroits, tant j'ai effacé. Suit le cours d'art. Comme Nathan n'a rien du poisson que j'avais commencé la semaine dernière, je dois abandonner mon projet. De toute façon, je suis un peu découragée. Jamais je n'arriverai à reproduire cette image de Nathan que j'ai dans ma tête !

En m'attardant à un autre type de dessin, plus humoristique celui-là, ça me permet de me sentir un moment moins nulle et de me changer les idées. Que pour quelques secondes, par contre, puisque Kat, tout en peignant son dauphin sans trop se concentrer, ramène sans cesse mon bon copain à mon esprit. Elle parle

tout bas, pour ne pas que Nathan et ses amis, deux tables derrière, l'entendent. J'apprécie sa discrétion !

— Tu pourrais lui acheter une BD ? Tu dois bien savoir ce qu'il aime ?

— Mmm... Je n'ai pas un sou, Kat !

— Alors, emprunte à tes parents. Ou à ton frère.

— À mon frère ? Il ne me prêterait même pas d'argent si ma vie en dépendait !

— Ouais. C'est vrai.

En passant près de nous, notre enseignante, madame Céline, rappelle mon amie à l'ordre.

— Katerine, tu peux faire beaucoup mieux ! Tu as pourtant l'habitude d'être plus perfectionniste !

Elle a raison, Kat est toujours pointilleuse. Sauf quand elle pense aux garçons ! Elle tente de se justifier.

— Oui, mais le thème de l'océan, ça m'intéresse un peu moins. C'est trop...

Pour l'aider, je complète :

— Trop mouillé ?

Mon amie éclate de rire et même madame Céline esquisse un léger sourire.

— Béatrice, elle sera très réussie, ta peinture. J'adore ton style bien à toi.

— Merci. MERCI !

Kat me fixe drôlement. Sous le choc, j'ai presque crié. Elle est là, la solution : je dois dessiner Bob avec MON style, pas le sien !

DES AILES DANS LES SOULIERS

Les poils de mon pinceau glissent une dernière fois sur le dos de mon poisson quand la cloche sonne. Depuis au moins dix minutes, madame Céline me répète de me dépêcher à terminer et de ranger le matériel avant que le cours finisse. Mais je prends mon temps. Mia me salue et se sauve au pas de course. Kat voudrait bien m'attendre, mais elle se lasse vite de m'observer rincer mes outils avec précaution.

— Tu viens ? Je dois me grouiller, j'ai quatre tonnes de devoirs ! Et toi aussi, il me semble, non ?

— Oui. Bah ! Quatre tonnes... disons plutôt deux. Vas-y, Kat, je ne te retiens pas !

— À demain, alors !

— À demain.

Je me retrouve seule avec madame Céline. À la fin de la journée, il suffit de cligner des yeux

pour que la plupart des élèves disparaissent. Mais moi, j'ai un plan...

Je demande à l'enseignante :

— Est-ce que je pourrais rester quelques minutes ? J'ai... un dessin qui me trotte en tête depuis le début de l'après-midi et j'aimerais bien le réaliser.

Elle hausse les épaules et répond :

— Pas de problème ! J'ai un peu de travail à terminer avant de partir. Prends le matériel dont tu as besoin !

Je l'ai toujours trouvée un peu austère et froide, très loin de la façon que j'imaginais tous les artistes : vivants et sympathiques ou bien étranges et torturés. Je suis contente de la voir sous un autre jour aujourd'hui !

Je rapporte la peinture à ma place, vais chercher un carton d'une douzaine de centimètres carrés, un crayon à mine et un crayon à pointe fine noire. En peu de temps, je trace une silhouette longue et mince, surmontée d'une tête à la mâchoire découpée et aux cheveux bien coiffés. Je remplis les formes grâce à l'aquarelle en choisissant des couleurs vivantes,

puis j'ajoute les détails avec le crayon à pointe fine. Les yeux brillants, le sourire rieur… je crois qu'on y reconnait assez bien Nathan. C'est cent fois mieux réussi que toutes mes autres tentatives, ça, c'est certain! J'écris simplement «Bob» au-dessus, puis je me relève pour ranger de nouveau le matériel.

Madame Céline jette un coup d'œil sur mon carton. Je suis un peu gênée. Et si elle devinait de qui il s'agit? Mais lui ressemble-t-il à ce point? J'en doute un peu.

— SUPERBE! Tu as déjà suivi des cours de peinture, pour maîtriser aussi bien cette technique, non?

— Non. Je vais souvent sur des blogues de bande dessinée et certains bédéistes se servent de l'aquarelle. J'ai observé, tout simplement.

— Tu as un très grand talent! Ce n'est pas facile de créer des personnages plutôt humoristiques qui ressemblent à ce point au vrai modèle…

Elle me fait un CLIN D'ŒIL, je comprends qu'elle n'a pas été bernée par ce «Bob» écrit au-dessus de l'image de Nathan.

Je la remercie et je sors de la salle de classe, un peu plus pressée de me rendre chez moi. Après tout, mes deux tonnes de devoirs m'attendent toujours!

En route vers mon casier, j'entends des voix dans l'agora. Je croyais pourtant que tous les élèves de l'école étaient partis! Puis je me rappelle que plusieurs équipes sportives s'entraînent après les cours. Je me dirige vers les voix, par curiosité. Deux gars de deuxième secondaire passent leur chemin et en saluent un autre, assis à une table, dos à moi.

Mon souffle court, mes genoux tout mous et moi reconnaîtrions ce derrière de tête, même s'il portait un sombrero. Est-ce un hasard s'il est toujours à l'école, maintenant seul dans la grande salle centrale? Ou PEUT-ÊTRE m'attendait-il?

Sentant probablement ma présence, il se retourne. Je réussis à trouver un ton léger profondément en moi.

— Qu'est-ce que tu fais encore ici?

— J'ai un entraînement de volleyball dans vingt minutes et je n'avais pas le temps de me rendre chez moi. J'ai décidé de rester pour commencer mes devoirs. Et toi ?

Je ne peux quand même pas répondre : « Je voulais te faire un dessin ! » Franchement, j'aurais l'air d'une gamine de cinq ans ! Je me contente donc de lui tendre le carton que j'avais prévu laisser dans mon casier jusqu'à demain matin.

Dès que ses yeux se posent sur mon illustration, son visage s'illumine davantage. Je crois même qu'il rougit un peu !

— Je... c'est... WOW ! bafouille-t-il.

Je devrais lui souhaiter une bonne soirée et m'en aller, mais je n'y parviens pas. C'est comme si mes souliers avaient soudainement engraissé de milliers de kilos et que je n'arrivais plus à remuer le petit orteil. Je m'assois donc sur le banc, à côté de Nathan, question d'attendre que le régime amaigrissant de mes espadrilles orangées fasse effet. Côte à côte, nous n'osons pas nous regarder, Nathan et moi. Il craint peut-être lui aussi que je remarque ses joues rouges, sans savoir que c'est déjà fait !

Allons-nous rester ainsi encore longtemps ? Je n'aime pas ce genre de malaise ! Me sentant soudain ridicule, je décide de lever les yeux vers Nathan pour me rendre compte qu'il a eu la même pensée. Nous nous esclaffons tous les deux, puis je glisse une mèche bouclée derrière mon oreille. La rebelle retombe à nouveau. Cette fois-ci, c'est Nathan qui la replace lentement, effleurant aussi ma joue du bout des doigts. Un LONG FRISSON m'envahit. Bob jette un coup d'œil autour de nous pour s'assurer que nous sommes toujours seuls, puis il approche son visage du mien. Je ferme les yeux et, moins d'une seconde plus tard, ses lèvres se posent timidement sur les miennes. Redoutant peut-être ma réaction, sa bouche m'a à peine effleurée, comme un pinceau qui frôle la feuille pour ajouter un tout petit détail.

Comme premier baiser dans toute mon existence, c'était loin d'être décevant, mais je l'aurais préféré moins... gêné. Je souris donc à Nathan, puis je vérifie à mon tour que personne ne rôde dans les alentours. Je passe

mes doigts dans les cheveux de sa nuque, puis je prends les choses en main. Cette fois-ci, je sens beaucoup mieux la chaleur de ses lèvres contre les miennes. WOW!

— Ma… mes… mon entraînement va commencer bientôt. Il faut que je parte, parvient-il à dire.

— Oui, moi aussi.

La lourdeur dans mes souliers a complètement disparu. En fait, on dirait que des ailes y ont poussé! Sous l'effet magique de ces baisers et de ce dernier regard amoureux que me lance Nathan, je flotte jusqu'à la maison.

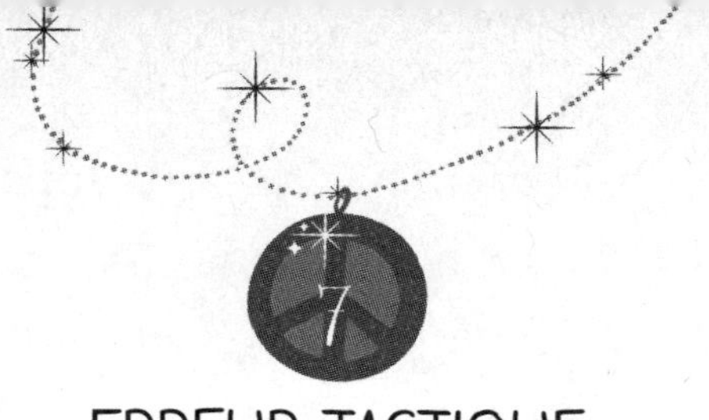

ERREUR TACTIQUE

Quand j'arrive chez moi, je m'attends à ce que mes parents me reprochent mon retard. Le reste de ma famille est déjà attablée pour le souper. Je me forge donc une bonne excuse entre le hall d'entrée et la salle à manger.

— J'avais oublié un manuel à l'école et j'en ai besoin pour un devoir. J'ai dû rebrousser chemin pour aller le chercher.

Les trois paires d'yeux me fixent comme trois détecteurs de mensonges ambulants. Philippe retourne à son potage de brocoli. Mon père hausse les épaules et ajoute une montagne de poivre dans sa soupe verte. Maman, la moins dupe ou la plus intéressée de la famille, me regarde un peu plus longtemps. J'ai l'impression qu'une énorme étiquette « AMOUREUSE » est collée au beau milieu de mon front. Et les mères n'ont pas besoin d'une énorme étiquette. À mon avis, une étincelle

dans les yeux et un sourire qui apparaît plus facilement que d'habitude suffisent.

Je mange sans grand appétit, et je monte faire mes devoirs. Je sais que je devrais appeler Kat pour lui donner les dernières nouvelles, mais je dois absolument commencer mes travaux. Elle doit être elle-même plongée dans les siens, sans envie d'être dérangée. Mais comment remplir des cahiers d'exercices quand mon esprit est envahi par le plus beau visage du monde ? Comment lire des dizaines de pages quand mon cœur bat plus vite que jamais depuis plusieurs heures ? C'est impossible. Je repousse tous ces manuels et je m'allonge sur mon lit. Ma main cherche le téléphone à tâtons sur ma table de chevet et finit par le trouver. Mes doigts composent les premiers chiffres du numéro de mon amie, mais s'arrêtent en chemin.

Comment Katerine réagira-t-elle ? Elle s'intéresse aux garçons depuis tellement plus longtemps que moi ! Il y a plus d'un an qu'elle a toujours un gars en vue, avant de changer pour un autre « encore plus beau », puis

un autre « SI DRÔLE ! ». Sans ses conseils, aurais-je osé retourner le baiser à Nathan comme je l'ai fait ? Sans elle, aurais-je simplement réalisé que ce sentiment que je ressentais était bel et bien de l'amour ? Je n'en suis pas certaine…

La sonnerie du téléphone me tire brusquement de ma réflexion, provoquant du même coup une mini crise cardiaque. Pendant que je reprends mes esprits et que mes battements de cœur redeviennent plus réguliers, ma mère a eu le temps de décrocher.

— Béatrice ! C'est Katerine au téléphone !

Nous sommes amies depuis si longtemps, Kat et moi, que parfois nous avons l'impression de partager le même cerveau. C'est clair, elle savait que je m'apprêtais à l'appeler.

— Béa ! Pourquoi tu ne m'as pas avertie ?!

Elle a, en plus, deviné ce que j'avais à lui conter ? C'est impossible ! Et pourtant, son ton fâché me le laisse présumer…

— J'allais le faire !

— Ça fait combien de temps que tu l'as embrassé ? Au moins deux heures ?

Je tourne mon regard vers mon radio-réveil, je fais un rapide calcul et réponds :

— Oui. Qui te l'a annoncé ?

— Tout le monde le sait ! Tout le monde l'a su avant MOI, tu te rends compte ? Louis, qui joue au volleyball avec ton mec, vous a vus. Il l'a dit à toute l'équipe. Ma sœur l'a su de Thibeault, le capitaine. MA SŒUR l'a su avant MOI !

J'aurais vraiment dû l'appeler plus tôt. Quand même, pour un tout petit délai de deux heures, elle n'exagère pas un peu ? Ce n'est pas de ma faute si Louis nous a espionnés et qu'il ne s'est pas gêné pour annoncer la nouvelle en grand !

Quand je le lui fais remarquer, elle se fâche encore plus et me raccroche au nez. Quelle mouche l'a piquée ? Je suis d'abord en colère à mon tour. Ce sentiment se transforme rapidement en tristesse. Je ne veux pas vivre ces grands moments sans ma meilleure amie ! Je ne veux pas faire partie de ces filles qui oublient leurs copines à partir du moment où elles ont un *chum* !

Je me change les idées en plongeant dans mes devoirs. Je noircis les lignes prévues pour les réponses sans trop réfléchir et je lis en diagonale. Puis je trouve une solution. J'ouvre mon tiroir à matériel à dessin et, pour la deuxième fois de la journée, je m'exprime avec ce que je connais le mieux : L'ART !

Sous mes doigts naît une bande dessinée humoristique dans laquelle le petit personnage trop « rondouillet » me représentant dit TOUT à la magnifique Kat (de son envie de pipi à son intention de manger une banane), avant que les événements se produisent. À la fin, j'écris simplement : « La prochaine fois, je te promets que tu seras la première à tout savoir ! »

Le lendemain matin, je glisse la BD dans son casier avant qu'elle arrive, de peur qu'elle ne veuille pas me parler. Au même moment, la main de Nathan se pose sur mon épaule. Je savoure ce frisson qui monte de mes chevilles à ma nuque, puis je lui plaque un bisou sonore sur la joue. Une voix que je connais bien s'exclame derrière moi :

— Ah ! Vous êtes trop MIGNONS !

Le regard attendri de Kat me prouve qu'elle n'est plus en colère. La bande dessinée n'aurait pas été nécessaire, finalement… mais elle rit tellement en la lisant que je ne regrette pas une seconde de m'être encore couchée trop tard la veille !

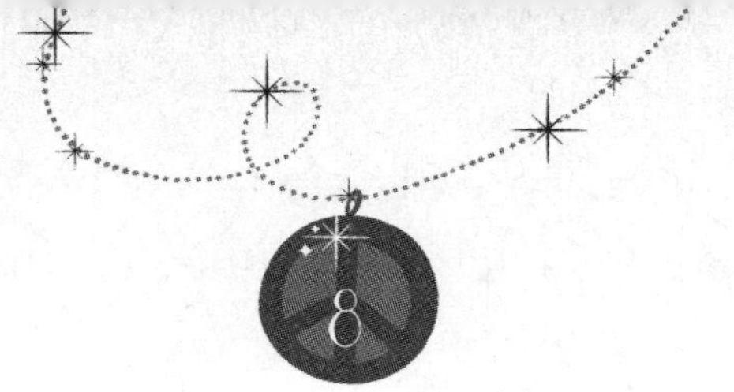

LES AMOUREUX DU XXE SIÈCLE

Les jeudis soir sont mes moments favoris depuis plusieurs semaines, mais aujourd'hui, c'est un cours de BD bien spécial. C'est un peu comme notre première sortie officielle en tant que couple, Nathan et moi. Bon, je ne sais pas trop si on peut considérer nos ateliers de bande dessinée comme une « sortie », mais je fais quand même un effort supplémentaire en attachant mes cheveux avec un peu plus d'attention et en enfilant une veste à pois jaunes que j'aime particulièrement.

Bien entendu, ce petit effort n'échappe pas à l'œil de maman-lynx.

— Tu es bien jolie, ma Béatrice ! Tu es certaine que c'est à ton atelier de bande dessinée que tu t'en vas ?

Philippe, intrigué, lève la tête de sur son livre de chimie et y retourne aussitôt.

— Mais oui, maman. Où veux-tu que j'aille ?

— Si je comprends bien, la vraie question serait plutôt: «Avec qui vas-tu à ton atelier de bande dessinée ?» C'est bien ça?

Je ne peux m'empêcher de sourire. Elle me fait un clin d'œil complice et me souhaite un bon cours.

Mes pieds avancent si vite que j'ai l'impression de flotter au-dessus du trottoir. J'ai si hâte de retrouver mon Bob! J'avoue aussi que mon manteau d'automne et ma veste à pois trop mince ne parviennent pas à stopper complètement le vent de plus en plus froid de début novembre. Heureusement, Nathan est arrivé avant moi et il m'ouvre ses bras bien grands pour m'y réchauffer! Le regard de tous les gars du groupe se tourne automatiquement vers nous. Quelques sifflements percent même le silence qui se faisait gênant. Barbu coupe court à ce moment en disant:

— Bon, bon, bon! On se calme, messieurs. Est-ce que ça étonne vraiment quelqu'un, de toute façon?

OUPS! C'était donc si évident que j'étais amoureuse de Nathan? Nous nous asseyons

et écoutons notre professeur nous enseigner certaines techniques de coloration. Doucement, la main de Nathan rejoint la mienne et nos doigts s'entrelacent sous la table. Je n'arrive plus à me concentrer. Toute mon attention est portée sur la chaleur de la paume de mon Bob.

L'heure file à la vitesse de l'éclair et, avant de nous laisser partir, Barbu explique :

— La semaine prochaine, nous parlerons de temps, du futur, du passé dans la BD. J'aimerais que, pour vous inspirer, vous apportiez des images ou des photos de toutes sortes représentant d'autres époques.

En sortant du centre communautaire, Nathan propose :

— Mon père a des tonnes d'albums photo. Mes frères, sœurs et moi, on adore les regarder pour rire de ses *looks* pas possibles ! Les vêtements et les coiffures de 1990, c'était tellement drôle ! Si tu veux, tu pourrais venir chez moi samedi et on pourrait en choisir quelques-unes ensemble pour l'atelier de la semaine prochaine…

— Pourquoi pas !

Je ne suis pas certaine que j'aurais envie de créer une bande dessinée qui se déroulerait dans les années 80 ou 90. Si j'en crois les photos des groupes préférés de mon père datant de cette époque c'était... étrange. Très étrange. Mais je ne raterai pas une opportunité de passer un après-midi avec Nathan ! Surtout que je suis plutôt curieuse de rencontrer sa grosse famille...

Le samedi matin, quand ma mère me demande mes plans de la journée entre une gorgée de café et une bouchée de rôtie, je lui dis la vérité. Après tout, elle a l'air assez relax à l'idée que j'aie un *chum* et elle le devinerait probablement, si je lui mentais. Je n'avais toutefois pas prévu la chute de questions qui suit ma réponse honnête.

— Tu le connais depuis longtemps ? Tu connais sa famille ? Es-tu certain que c'est un bon petit gars ?

Un bon petit gars ! PFF !

— Si par « bon petit gars » tu entends qu'il est tatoué partout et qu'il a un énorme anneau dans le nez, c'est un très très bon petit gars.

Philippe pouffe de rire et du jus d'orange sort de ses narines. Il reprend son sérieux et me préviens :

— Tu n'aurais pas dû dire ça, Béa…

Il avait raison. Ma mère insiste pour me conduire jusque chez Nathan. Une fois garée devant l'entrée, elle me fait un signe de tête en déclarant :

— Je t'attends !

Je soupire et je rejoins Nathan, qui ouvre la porte avant que je cogne. Deux autres gamins d'environ cinq et sept ans apparaissent aussi. Ses deux jeunes frères. Ses deux sœurs ne doivent pas être bien loin.

— Bob, ma mère veut te voir. Je suis terriblement désolée !

— Mais non. Ça ne fait rien. C'est normal, elle s'inquiète pour toi et elle tient à savoir que je suis un bon petit gars, comme toutes les mamans.

J'éclate de rire. Il est trop génial. Il me suit jusqu'à la voiture de ma mère qui abaisse la vitre pour se présenter.

— Bonjour, Nathan. Je suis la mère de Béatrice. Je suis enchantée de te connaître !

Mon amoureux prend son ton le plus poli pour répondre :

— C'est un très grand plaisir pour moi aussi, madame.

Je la presse ensuite :

— Tu peux y aller maintenant, maman !

Son « bon après-midi » enjoué m'indique qu'elle approuve mon choix. Je n'en suis pas surprise, mais tout de même soulagée.

À l'intérieur, je rencontre officiellement Alice, deux ans, Rémi, cinq ans, Mathieu, sept ans et Vivianne, neuf ans. Ils me saluent, ricanent un moment en remarquant la main de Nathan dans la mienne et partent je ne sais trop où. La maison ne semble pas très grande et pourtant on ne les entend plus, comme s'ils avaient disparu dans une quatrième dimension. Une femme très jolie avec ses longs cheveux châtains et son visage rond bienveillant nous rejoint, un panier de linge propre dans les bras. Elle dit, avec un accent français :

— Tu dois être Béatrice ! Bienvenue chez nous !

Nathan me guide jusqu'au salon, rempli d'étagères bien rangées. Il a déjà déposé les albums photo sur la table basse. Nous nous enfonçons côte à côte dans le sofa moelleux et Nathan ouvre un premier album, qui date de 1985, alors que son père avait environ 10 ans. Mon AMOUREUX n'avait pas exagéré quand il disait que les *looks* de son père étaient à mourir de rire ! Ici, la veste de laine jaune moutarde, là, les grosses lunettes à monture rose pâle de son enseignante... J'en pleure, tellement tout ça est drôle !

Soudain, un homme passe par le salon. Probablement le père de Nathan, puisqu'il prend un air faussement outré pour s'exclamer :

— Encore en train de rire de mes albums photo ! Je ne m'en sortirai donc jamais !

Puis il s'assoit dans un fauteuil près de nous, une tablette électronique à la main.

Nous poursuivons notre découverte du XXe siècle, mettant les meilleurs spécimens photographiques de côté pour notre atelier.

Soudain, une photo de 1989 attire particulièrement mon attention. Le père de Nathan y tient une fille par la taille.

— Ça va? s'inquiète Nathan en fixant mes sourcils froncés.

— On dirait… on dirait ma mère!

Le père de Nathan se relève et étire le cou pour mieux voir l'image dont je parle.

— Ah! Mon premier amour de jeunesse! Elle s'appelait Nathalie Poulin.

— Nathalie Poulin? C'EST ma mère!

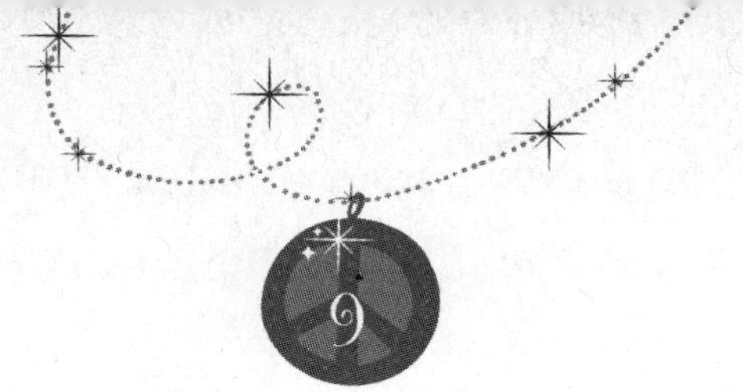

LE CARNET NOIR DE MA MÈRE

J'aurais bien accepté l'invitation à souper des Beaudoin, mais je suis trop pressée de rentrer chez moi pour partager ma grande découverte avec ma mère ! Ainsi, après un tendre baiser à mon amoureux devant quatre enfants mal cachés, je sors de chez cette gentille famille et je cours jusqu'à la maison.

Mes parents préparent le repas en duo quand j'entre dans la cuisine. Je suis un peu mal à l'aise d'aborder le sujet devant mon père. Puis je me dis que cette histoire date de plus de 25 ans. Elle ne peut quand même pas le rendre jaloux !

— Maman ! En regardant les vieux albums photos du père de Nathan, je… T'AI VUE ! Tu avais environ 15 ANS !

— Hein ? Qui c'est, le père de Nathan ?

— Pierre Beaudoin.

Elle en échappe son couteau qui atteint lourdement le sol. Je crains un instant pour ses orteils, surtout qu'elle reste figée, avant de s'écrier:

— Pierre Beaudoin? Mon premier amoureux!

Mon père se moque de ses yeux pétillants. Je le trouve méchant. Comme si, parce qu'elle était adolescente à l'époque, cette histoire ne comptait pas vraiment. S'il osait me demander pourquoi je ressens tous ces papillons, alors que je n'ai que 12 ans, j'aurais une envie folle de le pousser très fort pour qu'il soit projeté à l'autre bout de la pièce ou, mieux, de lui faire tomber une enclume sur la tête, comme dans les dessins animés.

Ma mère change vite de sujet, semblant gênée par sa propre réaction. Les bêtises de papa me mettent alors encore plus en colère. Durant tout le repas, je reste donc silencieuse. Je me sauve à la première occasion pour me barricader dans ma chambre, où je poursuis une bande dessinée commencée dans nos ateliers. J'ai décidé de créer une superhéroïne forte et brillante, comme tous les autres superhéros masculins!

Tout à coup, trois coups à la porte me font sursauter. Je grogne un «QUOI?», mécontente de ce trait de crayon de trop causé par mon soubresaut. Ma mère entre et s'assoit sur le coin de mon lit.

— J'avais envie de te donner ceci... Mais promets-moi de ne le prêter à personne d'autre, d'accord?

— Promis.

Elle a l'air d'avoir 15 ans à nouveau, comme sur la photo trouvée chez Nathan. Son ton de confidence ressemble à celui d'une amie et non celui d'une mère. Cette complicité me fait sourire. J'attrape le petit livre qu'elle me tend. C'est un carnet noir sur lequel on a collé des images découpées dans des revues ainsi que des noms de groupes et d'artistes populaires à l'époque: Madonna, Paula Abdul, Roch Voisine, Luc de la Rochellière, Bon Jovi, New Kids on the Block, Debbie Gibson... Certains me disent quelque chose, d'autres, rien du tout.

Maman sort en fermant la porte de ma chambre derrière elle. Je m'installe sur mon lit et j'ouvre le journal comme s'il s'agissait

d'un TRÉSOR. Les pages sont jaunies et l'écriture au stylo bleu a pâli, mais c'est tout de même lisible.

« Aujourd'hui, j'ai aperçu un gars que je n'avais jamais remarqué, à l'école. En fait, je ne pouvais pas le manquer cette fois-ci, je lui ai foncé dedans en poussant la porte des toilettes des filles ! J'ai failli l'assommer, le pauvre ! Je ne comprends pas comment j'ai pu ne pas le voir avant. Il est tellement beau ! Il a des cheveux noirs, cachés en partie par une casquette rouge qu'il porte la palette par en arrière. Il m'a regardé avec ses yeux super foncés ! J'avais l'impression qu'il fouillait à l'intérieur de moi. Intense ! Maintenant, il faut que je sache qui c'est. Il est sûrement en secondaire deux, je l'ai revu, plus tard dans la journée, près du local de bio. Il parlait avec le frère de Chantal. Mais je suis gênée de demander à Chantou si elle le connaît… »

Aujourd'hui, avec les réseaux sociaux, maman découvrirait l'identité de ce bel inconnu en moins de dix minutes. Il suffirait de chercher dans les amis du frère de Chantal,

ou au pire dans les amis des amis du frère de Chantal et BINGO ! On obtiendrait en moins de deux son nom, son groupe de musique favori et sa philosophie de vie !

« J'ai encore croisé le gars dans le corridor ce matin. Maintenant que je l'ai remarqué, je le vois partout ! Et si je n'en sais pas plus à propos de lui bientôt, je pense bien que je vais virer folle ! Il est tellement beau ! Oui, il est plus jeune que moi (ça, au moins, j'en suis sûre, il avait le même manuel de maths que moi l'an dernier dans les mains), mais ça ne fait rien. Il ne peut pas être plus imbécile que les gars de mon niveau de toute façon !

« Il faudrait que je me débrouille pour me promener plus souvent dans l'école avec Chantal. Si on le croise et que je suis avec elle, elle va peut-être lui dire : « Salut, Chose ! » et enfin, je connaîtrai son nom ! Bien... pas si elle dit « chose » pour vrai là, mais si elle l'appelle par son prénom, évidemment. Je ne sais pas trop pourquoi je précise ça dans mon journal. Je suis quand même assez bien placée pour me comprendre, non ? »

Ha! Ha! Ha! Ma mère était drôle! J'avoue que je l'envie un peu. Ça semblait bien excitant, lorsqu'on ne pouvait pas tout dévoiler en trois clics… Mon père me parlait aussi, l'autre jour, du temps où, quand on voulait une chanson sans acheter tout le disque, il fallait parfois attendre toute une journée pour qu'elle passe à la radio et alors l'enregistrer sur une cassette. Mais le son était médiocre et, très souvent, les dernières notes étaient remplacées par une pub de shampooing ou la météo du jour.

Je cache le journal de maman aussi précieusement que s'il s'agissait du mien. Mon frère ou mon père ne doivent absolument pas tomber dessus. Ils ne comprendraient rien, ces deux non-romantiques!

Question de me reconnecter avec le XXIe siècle, j'envoie ensuite un courriel à Kat la grande sentimentale, qui adorerait lire les péripéties amoureuses de maman.

« Ma mère vient de me donner un véritable trésor : le journal de son histoire d'amour

avec son premier *chum*. Et ce premier *chum*, tu ne devineras jamais qui c'est ! »

J'ai clairement piqué sa curiosité, puisque sa réponse ne se fait pas attendre.

« QUI ? »

Je décide de l'appeler et de lui raconter de vive voix cette journée ABRACADABRANTE !

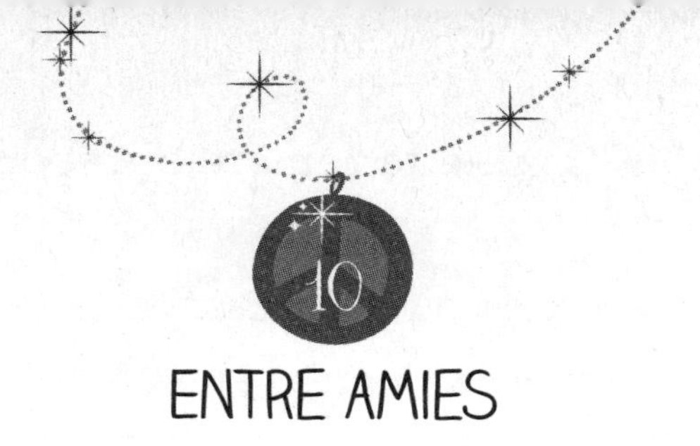

ENTRE AMIES

Le lendemain, Nathan participe à un tournoi amical de volleyball. Il m'offre de l'y accompagner, je décline poliment. Je ne déteste pas jouer au volleyball ; au contraire, c'est le sport que je préfère dans les cours d'éducation physique. Je suis nulle, mais j'aime bien frapper le ballon de toutes mes forces quand vient mon tour de servir. Par contre, je ne fais pas partie de ces blondes groupies qui admireraient sans cesse les exploits sportifs de leur amoureux. Nathan comprend très bien que de passer une journée complète dans des estrades inconfortables à fixer un ballon se promener d'un côté à l'autre du filet ne m'enchante pas beaucoup.

— Je t'appelle en revenant à la maison, d'accord ?

— Pour le bien de ta famille, tu peux prendre le temps de te doucher avant.

— Ma famille te remercie ! répond-il en riant.

À la seconde où je raccroche, le téléphone sonne à nouveau. Mon Bob est à ce point incapable de se passer de moi ? C'est plutôt la voix de ma Kat favorite qui résonne dans le combiné.

— Viens-tu magasiner avec Mia et moi ? demande-t-elle aussitôt.

— À condition qu'on aille aussi à MES places...

— Mmmmouais... D'accord !

MES places, ce sont trois friperies situées près des magasins de vêtements et d'accessoires préférés de mes amies. Mia et Katerine rechignent toujours à y entrer. Pourtant, elles sont les premières à me complimenter sur les trouvailles que j'y fais ! Il suffit d'avoir un œil de lynx et... BEAUCOUP D'IMAGINATION ! Entre les jupes droites ennuyantes et les chandails de « matantes » se cache souvent une robe noire qui, une fois qu'on lui a ajouté une ceinture colorée, devient un véritable trésor dans notre garde-robe. Et à un prix que mon porte-monnaie adore !

Nous entrons dans la première, Fripe et Paf. À la blague, nous essayons chacune notre tour un pantalon de cuir blanc tout à fait hideux ! Comme la chasse ne semble pas fructueuse et que la vendeuse nous envoie un regard noir chaque fois qu'elle apparaît au bout du rayon où nous nous trouvons, nous ne nous attardons pas.

— On peut se rincer l'œil dans une VRAIE boutique, maintenant ? me supplie Mia.

J'approuve d'un mouvement de tête, puis nous nous engouffrons dans le ventre de la mode automne-hiver de l'heure. Je tombe sur une veste lignée vert et blanc qui me plaît bien. Qui me plaisait bien, en fait, jusqu'à ce que je remarque l'étiquette.

— Euh... C'est le bon prix, vous croyez ?

— Bien... oui, Béa ! confirme Mia, sans comprendre mon air surpris.

— De quoi te plains-tu ? Ta mère te donne un MÉGA budget pour ton linge !

Kat a raison. Elle sait aussi que cet argent, je m'en sers la plupart du temps pour me payer du nouveau matériel artistique.

Soudain, Mia couine comme si elle venait de voir un chiot en train de bâiller. Mais elle tient plutôt un chandail noir à manches longues avec une geisha peinte dessus. C'est joli, mais pas spectaculaire non plus.

— JE LE VEUX, JE LE VEUX, JE LE VEUX !

Une idée germe dans ma tête.

— Et je te parie que je peux t'en avoir un pour le tiers du prix.

Les filles me fixent, étonnées, essayant de lire dans mon esprit ce plan qui me fait sourire ainsi. Je les entraîne dans ma deuxième boutique d'occasions favorite, là où je sais très bien que je trouverai des chandails simples, unis. Mia, qui commence à comprendre mon stratagème, choisit un vêtement kaki. Nous filons ensuite jusque chez moi, où je prépare mes pinceaux et ma peinture acrylique. Je griffonne d'abord un croquis sur une feuille. Mia approuve en couinant, cette fois-ci, comme si elle avait vu un chaton endormi sur le dos.

Kat profite d'une visite de Mia à la salle de bain pour m'avouer :

— J'avais un peu peur que tu passes tout ton temps avec Nathan, maintenant que vous sortez ensemble. Je suis vraiment heureuse de constater que ce n'est pas le cas.

Je suis contente d'avoir le regard occupé par le chandail de Mia, en répondant : « Évidemment. » Sinon, Kat aurait aperçu la vérité dans mes yeux : que, si ce n'avait été d'un tournoi de volleyball, je serais probablement avec mon amoureux aujourd'hui. C'est normal, non, d'avoir toujours envie d'être avec le gars qu'on aime ? Mais Katerine aussi, je l'aime. Autrement, bien sûr, mais je ne voudrais jamais la perdre comme amie ! En laissant les poils de mon pinceau glisser pour former la robe rouge de ma geisha, je me promets de faire attention pour bien partager mon temps entre mes amies et mon *chum*. J'espère seulement avoir assez de 24 heures par jour pour pouvoir satisfaire tout le monde. DORMIR, est-ce SI essentiel ?

LA VIE AVANT INTERNET

Les autocollants sur le journal de maman m'ont donné envie d'en connaître un peu plus sur les groupes que mes parents écoutaient. Je m'assois donc à l'ordinateur familial pour effectuer une petite recherche. Comme cela arrive au moins cinquante-huit fois par semaine, ma mère a laissé la boîte de réception de son compte de messagerie ouverte ! Je la referme sans trop fouiller. Après tout, il n'y a rien d'intéressant dans les courriels de ma tante Lise et de sa compagnie d'assurance ! Alors que Google me donne les résultats de ma recherche, mon père passe derrière moi. Je déteste quand il regarde ainsi par-dessus mon épaule. Surtout quand il éclate de rire en jetant un coup d'œil sur l'écran !

— Qu'est-ce que c'est, ce soudain intérêt pour la musique de vieux, Béatrice ?

Je ne peux pas vraiment lui révéler mes sources. J'ai promis à ma mère de ne pas parler de son journal... J'invente donc :

— Je travaille sur une bande dessinée qui se déroule dans les années 80 et je me dis que ça m'inspirerait.

— AH ! C'est original. Veux-tu mes suggestions ?

— Pourquoi pas ?

— Paula Abdul et Debbie Gibson, je ne pense pas que ce soit ton genre. La musique des News Kids on the Block n'a pas terriblement bien vieilli. Mais tu apprécieras sûrement Bon Jovi.

— Je connais déjà quelques chansons, je crois.

— Je pourrais te prêter ma carte de crédit pour que tu achètes un album...

Surprise et déstabilisée, je bafouille un : « Oui, merci, papa ! » C'était une discussion des plus courtes, mais je n'en avais pas eu d'aussi agréable avec mon père depuis au moins deux ans. Et j'exagère à peine ! Ce retour dans le passé a de si bons côtés ! En téléchargeant

l'album que me suggère papa, je me dis que mon petit mensonge n'avait pas à en être un, finalement. Une bande dessinée se déroulant dans les années 80, pour montrer aux jeunes de mon âge comment vivaient nos parents, sans Internet, sans toutes ces technologies dont nous profitons aujourd'hui, ce pourrait être amusant. Et je sais déjà qui sera mon héroïne ! Qui aurait prédit qu'un jour j'aurais envie de créer une bande dessinée basée sur une histoire d'amour ? Certainement pas moi !

Mon iPod chargé de chansons aux rythmes et sonorités d'antan, je retourne dans ma caverne secrète. D'accord, ma chambre est beaucoup plus confortable qu'une grotte et elle n'a rien de secret, mais ça sonne plus mystérieux. J'aime parfois me sentir comme Batman. HI ! HI ! HI ! Je ferme la porte avec précaution et je soulève mon matelas, sous lequel j'ai caché le journal. Je l'admets, ce n'est pas une cachette terrible, mais comme ma mère est la seule autre personne qui a accès à ce coin de la maison, son journal y est en sécurité.

Je m'enfonce confortablement dans la tonne de coussins qui recouvre mon lit, je place les écouteurs dans mes oreilles et j'ouvre délicatement cette fenêtre sur les SOUVENIRS de ma mère.

« Pierre. Il s'appelle Pierre. Je n'ai pas eu besoin de Chantal pour le savoir. Un de ses amis a crié son nom, alors que je passais par hasard près de son casier. OK, je l'avoue, ce n'était pas tout à fait par hasard. J'ai fait un peu exprès d'oublier un roman dans le local de français. Je n'avais pas le choix d'y retourner avant le début du cours suivant. Marie n'y a vu que du feu au départ. Elle n'a même pas remarqué que je faisais un minuscule détour. Et c'est à ce moment-là que je l'ai aperçu. En fait, j'ai pas mal juste vu ses fesses : sa tête était enfoncée dans son casier. C'est quand un autre gars a crié : « Pierre ! Hé, *Peter* ! » que son visage un peu étonné est sorti. Il portait, comme toujours, sa casquette rouge.

« J'ai dû regarder un peu trop longtemps dans sa direction, parce que Marie a dit : "C'est vrai qu'il est plutôt *cute*, pour un petit jeune."

J'ai fait une grimace, pour essayer de cacher mes joues qui rosissaient. Ça n'a pas marché fort fort. Pendant tout le reste de la journée, juste pour mal faire, on l'a croisé mille fois alors qu'on était ensemble, mon amie et moi. Et les mille fois, j'ai rougi comme une grosse pomme ridicule. Marie n'est pas niaiseuse ! Elle s'est bien rendu compte de l'effet que Pierre a sur moi ! Pierre. Comme dans *Lance et compte* ! »

PFF ! Pierre ! Comme mon vieux prof de maths, aussi !

Suivent quelques pages où elle parle de toutes ces fois où elle croise Pierre sans oser l'aborder. J'éclate de rire en lisant un long paragraphe dans lequel ma mère se plaint de ses parents qui ne comprennent rien. Elle écrit mot pour mot ce que je lui reproche si souvent ! Je vais assurément lui faire relire ce passage !

Puis vient le moment où ma mère met enfin ses culottes et avoue à son amie Chantal son petit faible pour le beau Pierre.

« Je ne pouvais pas mieux tomber en parlant à Chantal ! C'est justement la fête de son

frère, samedi. Ses parents (pas mal plus COOL que les miens) lui permettent d'organiser un gros party. Et qui sera présent ? Oui ! Pierre ! Et qui Chantal invitera-t-elle pour lui tenir compagnie pendant cette soirée où son sous-sol sera plein de gars qui disent des niaiseries ? Oui ! Moi ! Je n'oserais pas avancer que Chantou est la meilleure amie du monde, Marie sera toujours la plus extraordinaire. Mais quand même, elle vient de prendre un avantage sur toutes les autres ! J'ai tellement hâte à samedi ! Mais qu'est-ce que je vais mettre ??? »

Je sais que le souper sera bientôt servi. Je tourne rapidement la page, impatiente de connaître la suite et désireuse d'arriver à cette rencontre avant le repas.

« La soirée de rêve ! Je suis allée rejoindre Chantou chez elle vers dix-huit heures. Ses parents avaient commandé de la pizza pour tout le monde. Évidemment, les amis de David se sont précipités sur la pizz comme une gang de goinfres. On a attendu que les ogres passent, en nous demandant, mon amie et moi, s'il nous resterait des miettes. Finalement, même

les miettes avaient disparu ! Ils s'étaient tous servi trois pointes en même temps, ces porcs ! Mais voyant qu'on n'avait plus rien, deux gars ont eu la gentillesse de partager avec Chantal et moi : Luc, un boutonneux vraiment laid et… Pierre ! J'ai eu l'air d'une vraie niaiseuse en bégayant un remerciement, mais je pense qu'il ne s'en est pas trop rendu compte. On a mangé notre pizza sur le bout du comptoir de la cuisine. Dans la salle à manger, les porcs criaient la bouche pleine (sauf Pierre, bien sûr !). Ça nous permettait de parler sans être entendues. Chantal m'a dit que Pierre m'avait regardée quand je suis arrivée. Je crois qu'elle voulait juste m'encourager, mais quand même…

« Après le souper, on est allées dans la chambre de mon amie pour élaborer un plan. Les gars étaient dans le sous-sol, on n'avait pas vraiment de bonne raison pour descendre. Chantal a suggéré qu'on trouve un moyen de faire monter tout le monde. On a eu la meilleure idée possible : en faisant cuire des chaussons Pillsbury ! Ça n'a pas été long que

l'odeur de gras et de sucre les a attirés comme des mouches sur une tache de confiture ! Encore une fois, seuls Luc et Pierre ont été polis et nous ont remerciées. Les autres sont redescendus au sous-sol, mais Chantal a posé une question à Pierre pour qu'il reste un peu plus longtemps. Finalement, on a jasé tous les trois pendant au moins quinze minutes, avant que Chantal file à la salle de bain pour me laisser toute seule avec Pierre ! On s'est rendu compte qu'on avait les mêmes goûts musicaux. On a aussi parlé d'un film qu'on avait tous les deux vu la semaine dernière. C'était si facile de discuter avec lui ! OK, oui, j'avais les mains super moites tout le long et le CŒUR qui battait beaucoup trop fort, mais je pense quand même avoir fait bonne impression.

« Un moment donné, un gars est monté pour voir s'il restait des chaussons. En apercevant Pierre, il lui a demandé ce qu'il faisait là. Pierre, gêné, a répondu : "Rien. Je vous rejoins, là." Et puis il est parti après m'avoir fait un petit sourire qui est demeuré dans ma mémoire depuis.

«Je me sens comme dans un gros nuage de ouate. JE CAPOTE!»

Ces lignes ont été écrites il y a des siècles (j'exagère un peu) et pourtant je suis tout énervée, comme si je lisais les aventures de ma meilleure amie. J'ai l'impression de découvrir ma mère. De la connaître mieux que jamais. Je referme le livre à regret. Je me garde le bout où ils sortiront officiellement ensemble pour demain!

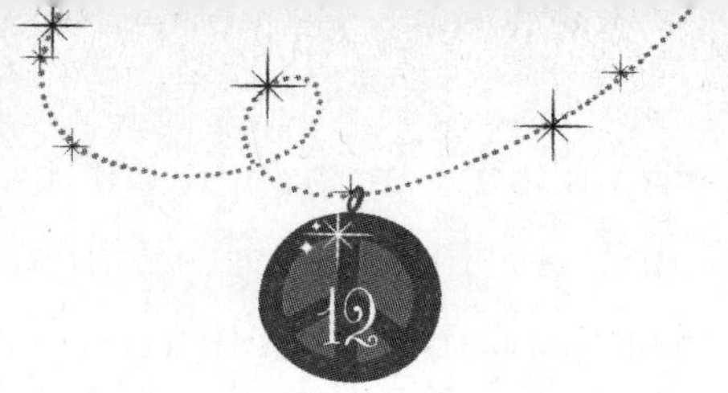

UN DEUXIÈME PREMIER COUP DE FOUDRE

« Il m'a invitée à la disco de la maison des jeunes ! Haaaaaaaa ! »

« Comment je m'habille ? HAAAAAAAAA ! »

« Je pense que je vais mourir avant ce soir ! HAAAAAAA ! »

Elle n'est finalement pas morte, puisque l'écriture reprend un peu plus bas. Le fait qu'elle soit toujours en vie aujourd'hui me donne aussi un bon indice...

« Je ne sais pas par où commencer pour raconter ma soirée. Par les trois heures que j'ai passé à me préparer ? Par ma chute en bas du trottoir à cause de mes talons trop hauts en me rendant à la maison des jeunes ? Par le moment où je l'ai aperçu en ouvrant la porte ? Oui. Je pense que c'est l'instant magique que je dois décrire en premier. C'est comme s'il m'attendait. Il était près de l'entrée,

avec ses amis, qui, en me voyant, ont siffloté pour se moquer. Pierre portait une chemise colorée déboutonnée sur un t-shirt blanc et des jeans. Évidemment, il avait gardé sa casquette rouge ! »

Comme j'aimerais voir une photo de ce *look* !

« Il avait l'air un peu gêné quand je me suis approchée de lui. Je dois avouer que j'étais hyper mal à l'aise moi aussi ! Surtout à cause de ses amis et de mes amies Chantal et Marie qui sont arrivées au même moment ! Il m'a glissé qu'il me trouvait bien jolie ce soir. Ma tête s'est dit que ça sonnait comme une réplique de films répétée des milliers de fois, mais mon cœur a fondu un peu. Ensuite, on est allés danser tout le monde ensemble. Danser comme des fous nous a permis d'éliminer une bonne partie du stress. Mes chansons favorites s'enchaînaient. C'était GÉNIAL ! Je chantais à tue-tête avec Chantal, sous le regard amusé de son frère et de Pierre. Puis Yvan, le responsable de la maison des jeunes, a mis un slow. Je savais bien que Pierre allait m'inviter, mais j'étais quand même stressée de me retrouver, comme à toutes les discos précédentes, sur le divan, attendant que les amoureux quittent la piste. Évidemment, après les premières notes de la chanson *Hélène* de Rock Voisine, Pierre m'a pris timidement la main pour me guider vers le milieu de la pièce, à travers les autres couples. On a dansé quelque temps loin l'un de l'autre, ses mains dans le bas de mon dos et les miennes sur ses épaules. Puis j'ai trouvé le courage de m'approcher de lui. On a fini la chanson collés !

« Plus tard dans la soirée, je suis allée à la salle de bain et, en sortant, il m'attendait. Il m'a demandé si j'avais envie de prendre un peu d'air. Son idée m'a emballée. Il faisait tellement chaud dans la place ! L'air était plus frais que je pensais et j'ai frissonné. Il a alors passé son bras derrière mes épaules pour me réchauffer. Je sentais mon cœur devenir du jus de... de... eh bien, du jus de cœur ! Et ça n'a pas aidé les choses au moment où il m'a embrassée ! Ses lèvres goûtaient le Pepsi. J'ai toujours préféré le Coke, mais à ce moment-là, c'était pas mal la chose la moins importante

du monde ! Et voilà ! J'ai maintenant un *chum* ! Le plus BEAU de l'univers, en plus ! »

C'est avec cette histoire si romantique en tête que je cogne à la porte de mon amoureux, accompagnée de mes parents et de mon frère. Oui, oui ! Le père de Nathan, amusé par la coïncidence, a décidé de nous inviter pour se remémorer quelques souvenirs de jeunesse. Philippe a son air de martyr. Pour une fois que je ne suis pas celle qui se rend quelque part à reculons avec ma famille, je ne vais quand même pas le plaindre !

La porte s'ouvre sur quatre têtes, celles de Pierre, d'Alice, de Rémi et de Mathieu. Le père de Bob s'écrie, en voyant ma mère :

— Nathalie ! Pas possible, tu n'as pas changé d'un poil !

— Bien… à part les rides et les cheveux blancs ! bredouille ma mère en rougissant.

Mon père tend la main à Pierre et se présente, puis nous entrons. Alice me saute dans les bras, visiblement heureuse de me revoir. Rémi le petit futé s'aperçoit que je cherche mon amoureux du regard, puisqu'il me dit :

— Nathan est aux toilettes.

Bob arrive au même moment, un peu gêné de l'honnêteté de son frère.

— Franchement, Rémi!

Il hésite à m'embrasser devant tout ce public. Il se contente de me donner un bisou sur la joue. Ça me suffit! Surtout pour voir mon frère mal à l'aise, qui ne sait plus trop où poser les yeux. Sa petite sœur qui a un amoureux, ça ne semble pas trop lui plaire... ce qui m'amuse beaucoup, bien sûr!

Corinne, la mère de Bob, nous invite à nous installer dans la salle à manger où sont déjà disposés des plats de salade et de pain tranché.

— Eh bien, dites donc, ça fait toute une tablée! s'étonne ma mère, une fois que les cinq enfants Beaudoin, les deux chefs de la tribu et nos quatre têtes sont réunis.

— J'ai toujours aimé les grandes familles, ajoute mon père. Tu te souviens, Nath, on se disait qu'on aurait au moins trois enfants?

Ma mère éclate de rire. Philippe, qui voit là une belle occasion de m'humilier, s'exclame:

— Tu as atteint ton objectif, maman, avec Béa qui en vaut deux !

Tout le monde sourit poliment. Je comprends très vite qu'ici le respect règne entre les membres de la famille. Ils vivent ensemble, jouent, s'instruisent ensemble. J'imagine que leur quotidien deviendrait infernal si les guerres éclataient constamment comme chez moi !

Durant le reste de la soirée, Pierre et maman nous racontent des anecdotes tirées de cette époque où ils se fréquentaient, pendant que nous dévorons la meilleure lasagne que j'aie jamais mangée (parce qu'elle est bio, d'après Corinne) !

— Tu te souviens de la fois où on s'était fait prendre à s'embrasser dans le fond de la bibliothèque ?

— Oui ! Par le prof d'anglais en plus ! C'était de ta faute, tu avais accroché une pile de livres et ça avait produit un bruit terrible !

— MENTEUSE ! C'était TOI !

Ce soir, j'ai devant moi la Nathalie et le Pierre décrits dans le journal de maman.

Leur regard pétillant a de nouveau 14 ou 15 ans, leur rire est celui d'adolescents.

Nous nous amusons tous comme des fous, sauf Philippe, évidemment. Je me demande s'il est capable d'avoir du plaisir, de toute façon. D'ailleurs, à la fin de la soirée, alors que nous sommes de retour à la maison, il me rejoint dans ma chambre, toujours avec son éternel air sérieux.

— Tu te rends compte de ta GAFFE, Béatrice ?

— Qu'est-ce que j'ai fait, encore ?

— Maman et ce gars... Tu n'as pas vu comment ils se regardaient ? Et s'ils retombaient en amour ?

— Phil, tu es ridicule ! Franchement ! Nos parents s'aiment toujours ! Et c'était il y a PLUS de 25 ANS !

— Je t'aurai prévenue !

Je hausse les épaules et je le force à sortir en refermant la porte sur lui. Quel rabat-joie !

Durant la nuit, cependant, je n'arrive pas à dormir. Je glisse ma main sous mon matelas pour récupérer le journal de ma mère, mais je change d'avis. Et SI Philippe avait raison ?

INQUIÉTUDES À L'HORIZON

Le lendemain, à l'école, Nathan souligne mon air soucieux… et fatigué !

— Qu'est-ce qui se passe, ma belle Béa ? demande-t-il, alors que je récupère mes livres dans mon casier.

— Rien.

— Je vois bien que quelque chose ne va pas ! Tu te souviens de ce que disait Barbu, l'autre jour ? Quand on aime dessiner, on remarque souvent les petits détails… comme le gros pli que tu as dans le front depuis que tu es arrivée !

— Tu vas trouver ça RIDICULE.

— Essaie toujours.

— J'ai comme l'impression que ton père et ma mère ont eu beaucoup de plaisir à se revoir hier. Un peu trop, si tu comprends ce que je veux dire.

— Non, je ne comprends pas vraiment ce que tu veux dire.

— Et s'ils tombaient à nouveau amoureux ? Je l'aime bien, ton père, mais je n'ai pas envie que nos familles soient brisées !

— Franchement, Béa ! Nos parents se sont laissés il y a si longtemps !

— Je sais, c'est ce que j'ai répondu à mon frère aussi, mais... as-tu remarqué comment ils se regardaient ? Ils avaient les yeux pleins d'étincelles en contant leurs vieilles histoires ! On aurait dit que ta mère et mon père n'existaient plus !

— Béa ! C'est n'importe quoi ! Ils étaient heureux de se revoir, un point c'est tout !

— Mais...

Le ton de Nathan se durcit :

— Arrête d'insister, s'il te plaît ! Je ne sais pas ce que vivent tes parents, mais les miens sont encore très amoureux ! C'est vraiment insultant pour mon père de croire qu'il pourrait laisser ma mère comme ça, pour rien !

— Pour rien ? Comment ça, pour rien ? Ma mère n'est pas RIEN !

— Tu comprends ce que je veux dire !

— Pas vraiment, non !

Katerine s'approche pour tenter de me calmer. Je prends sa main et l'entraîne plus loin. Il vaut mieux que je ne vois plus le visage de Bob pour les prochaines minutes (aussi mignon soit-il). Sinon, je pourrais… je pourrais… je préfère ne pas penser à l'issue de la scène ! Je suis vraiment en colère !

Durant le reste de la journée, je le boude. Je remarque qu'il essaie de s'approcher plusieurs fois, mais, à chacune de ses tentatives, Kat la médiatrice lui fait signe d'attendre que je me calme.

Le soir, j'hésite longtemps avant d'aller à l'atelier de BD. Finalement, je me dis que ce serait idiot de rater une rencontre juste à cause de Nathan ! Je m'y rends donc, mais je m'assois avec Brian. Durant l'heure qui suit, j'ajoute une scène de dispute dans ma bande dessinée des années 80 inspirée par l'histoire de ma mère. J'imagine que tout n'était pas rose dans leur couple non plus ! Une fois chez moi, je feuilletterai le journal de maman :

j'y dénicherai sûrement quelques pages griffonnées très vite, sous le coup de la colère et de la peine…

Quelques heures plus tard, je constate que, sur les feuilles jaunies du livre noir, ne se trouve aucune menace d'arracher la tête de Pierre. Un passage, toutefois, me laisse croire que nos parents n'étaient pas faits pour vivre ensemble.

« Pierre et moi faisons sans cesse des projets d'avenir. Lui voudrait un jour avoir une ferme, élever des moutons et cultiver un immense jardin. Moi, je préférerais habiter dans une grande ville, comme New York ou Paris. J'imagine qu'on trouvera un juste milieu… J'espère, parce que la vie de hippie et d'air pur, ce n'est pas pour moi ! On s'entend au moins sur le nombre d'enfants qu'on aura. Trois. Deux filles et un gars (même si ça ne se planifie pas vraiment…) ! »

Bob a peut-être raison, après tout. Ma mère et son père rêvaient déjà d'un quotidien si différent ! Comment pourraient-ils être heureux ensemble aujourd'hui ? Je devrais appeler mon amoureux pour m'excuser. Je déteste cette dispute ridicule. Bah! Je lui parlerai demain.

Je plonge à nouveau dans les histoires d'antan de ma mère.

« Il y a des jours où j'ai l'impression de cacher la vraie moi. J'essaie d'avoir l'air plus forte, plus *cool*. Est-ce que tout le monde est comme moi? Est-ce que certaines personnes arrivent à être toujours elles-mêmes? J'espère que j'aurai une fille, un jour. Une fille qui n'a pas peur d'être elle-même. Une fille qui fonce dans la vie, qui osera plus que moi... »

Je me reconnais dans cette description. J'ai toujours senti que ma mère attendait de moi que je suive le troupeau. Au fond, elle est peut-être plus fière que je le croie...

Vers minuit, je ne dors pas encore. J'aurais dû appeler Bob pendant qu'il en était temps, finalement. J'aurais eu l'esprit plus clair et je ne serais pas en train de fixer le plafond, en imaginant son visage fâché. Je traverse le corridor où résonnent les ronflements de mon père et de mon frère. Je descends l'escalier

et je me glisse jusqu'à l'ordinateur. Mes parents seraient en colère de me voir ici si tard, mais je vais juste envoyer un tout petit courriel d'excuse à Nathan. Je suis certaine qu'après je dormirai comme un bébé !

Je ne suis pas surprise de voir la boîte de réception de ma mère ouverte, une fois de plus. Je suis par contre très intriguée par ce courriel... de Pierre !

« Ma chère et toujours aussi belle Nathalie, je confirme notre dîner vendredi midi au restaurant le Grand Gourmet. Je porterai ma casquette rouge ! Ha ! Ha ! Ha !

« Pierre xxx »

Un dîner secret ? J'ai les yeux ronds et la mâchoire qui pendouille devant une telle découverte. Je dois montrer cette preuve à Nathan ! Je fais donc imprimer le courriel en espérant que le son de notre vieille, que dis-je, notre ancestrale imprimante ne réveillera pas toute la maisonnée !

Je n'ai aucune idée si cette information aidera mon couple ou si la situation empirera, mais Nathan doit savoir !

UNE MISSION SECRÈTE

Le lendemain, j'arrive à l'école avec la copie du courriel de Pierre dans ma poche de jeans. J'ai un peu peur de la réaction de Nathan, mais j'ai encore plus peur que ce désaccord finisse par briser notre couple. Quand je l'aperçois sur l'un des bancs de l'agora, en compagnie de deux gars de son équipe de volleyball, j'hésite à le rejoindre.

— BEN VOYONS, Béa ! Tu ne crains quand même pas d'aller parler à ton amoureux, non ?

Ces paroles auraient pu être prononcées par ma voix intérieure, mais non, elles venaient plutôt de ma conscience extérieure : Katerine !

— Mais non, Kat, je n'ai pas peur ! Je me demande juste comment il va prendre ce que j'ai à lui dire.

— Je te rappelle que c'est TOI qui es en colère contre lui en ce moment. Ton beau Bob a voulu se réconcilier toute la journée d'hier !

— Tu as peut-être raison...

— Et comment pourrait-il résister à cette petite face-là, hein? fait-elle en m'empoignant les joues sans grande délicatesse.

— Tu as l'air d'une humeur particulièrement bonne, Kat, est-ce que tu sais quelque chose que je ne sais pas?

— Ne change pas de sujet! Bon, c'est vrai que Mathieu, le cousin de Mia, m'a invitée à aller au cinéma, mais ça, c'est une autre histoire!

Soudain, j'ai cent fois plus envie de fêter cette nouvelle excitante avec mon amie que de parler à mon Bob. Kat le sait très bien. Elle insiste en me poussant dans le dos. L'amour la rend drôlement brusque!

Je finis par marcher par moi-même jusqu'à Nathan et ses camarades. Je dois avoir ma face de remords, avec mes yeux de chaton attendrissants, parce que Bob me sourit, salue ses copains et m'entraîne un peu plus loin.

— Béa, je suis tellement désolé d'avoir dit du mal de ta mère! Tu sais bien que je me suis mal exprimé! Je me suis fâché bien trop vite!

— C'est correct, Nathan. J'ai grimpé dans les rideaux un peu vite, moi aussi.

— Je comprends. Tu étais inquiète, c'est normal. Tu sais que tu n'as pas de raison de t'en faire, hein ?

— Je n'en suis pas si sûre...

Je sors la feuille pliée en quatre de ma poche et je la tends à Bob. Je m'attends à ce qu'il nie, qu'il essaie une fois de plus de me convaincre que ce n'est rien. Alors que ses yeux parcourent le message, son expression se transforme complètement, se durcit.

— Le Grand Gourmet, ce n'est pas loin d'ici ça, n'est-ce pas ?

— Je crois...

— On a le temps d'y aller sur l'heure du dîner !

Tiens, tiens ! Voilà que mon Bob SI ZEN, ayant SI CONFIANCE en ses parents, change soudain de discours ! Je lui fais un énorme câlin, heureuse de cette réconciliation et de cette aventure que nous nous apprêtons à vivre...

Après notre cours d'éducation physique, mon amoureux et moi attrapons nos manteaux et nos bottes en vitesse, et nous filons vers le restaurant le Grand Gourmet.

— Tu as vérifié l'adresse ?

— Oui. On peut s'y rendre avec l'autobus 12, puis le 23, m'informe Bob.

C'est plus loin que je le pensais. Je ne suis pas certaine que nous arriverons à temps à notre prochain cours... Et par-dessus le marché, on a oublié nos lunchs, comme me le fait remarquer Nathan, une fois dans le premier bus. Je lui réponds :

— Ce n'est pas grave. Je préfère la vérité à un sandwich au jambon.

Fière de cette phrase qui sera sûrement citée encore après ma mort, j'accueille le BISOU de mon amoureux amusé.

Notre « limousine » nous mène jusqu'à un carrefour, où nous en prenons une seconde. À bord du bus 23, nous sommes plus sérieux. Et si nous tombons sur nos parents en train de s'embrasser ? Comment réagirons-nous ? Nous descendons tout de même à quelques blocs du Grand Gourmet. Comme de vrais agents secrets, nous longeons les murs des bâtisses,

espérant ne pas nous faire remarquer. Devant le restaurant, nous nous penchons pour ne pas être aperçus dans la large vitrine. Lentement, j'ose me relever.

À l'intérieur, nos parents sont attablés dans un coin. Je vois mieux ma mère, assise sur la banquette. Elle a mis son chemisier rose le plus décolleté et s'est maquillée plus qu'à l'habitude. Tout à coup, elle éclate de rire si fort qu'on l'entend sans peine à travers la vitre, sa voix mêlée à celle de Pierre. Pendant une seconde, je jurerais que la main de mon beau-père s'est posée sur celle de maman. Je jette un petit coup d'œil vers Nathan. Il a les yeux ronds et la bouche entrouverte. Il parvient à chuchoter :

— Béa ! Tu avais raison ! J'en ai assez vu. On retourne à l'école, d'accord ?

Je fais « oui » de la tête et nous rebroussons chemin, avec beaucoup moins de subtilité. Nos parents ont tellement l'air dans leur bulle qu'ils ne nous remarqueraient probablement pas, même si nous allions les rejoindre à leur table !

Par malheur, l'autobus 23 n'est pas à l'heure, ce qui nous fait rater notre transfert avec l'autobus 12. Résultat : nous sommes en retard pour notre cours de mathématiques et nous ne sommes pas arrivés à avaler une seule miette de notre dîner !

En route vers le secrétariat pour quérir nos billets de retard, nous croisons Katerine, l'œil couvert par un papier essuie-main brun mouillé.

— Kat ? Qu'est-ce qui se passe ?

— Rien de grave. Marco et Tico se lançaient leur ballon de football en plein milieu de la rangée des casiers et…

Je poursuis :

— Et tu l'as reçu dans l'œil ?

— Non, non ! Le ballon a accroché la porte d'une case et…

Nathan continue :

— Et tu l'as reçue en plein visage ?

— Non ! La porte a accroché Mimi, qui a bousculé Fabrizia par accident. J'ai reçu le coude de Fab dans l'œil. Et vous ?

Je raconte notre découverte à Katerine, avant de lui demander de nous couvrir, pour notre retard.

— Est-ce que tu pourrais dire qu'on t'a aidée pendant que tu souffrais horriblement?

— Bien sûr, les amoureux!

Alors qu'elle prononce ces mots, elle me fait réaliser quelque chose.

— OH NON! Kat! Ton rendez-vous avec le beau Mathieu! Tu vas avoir l'œil tout bleu!

— Je sais! murmure-t-elle, consternée.

— Pas de panique, les filles! Ne vous moquez pas de moi, mais j'ai un certain talent en maquillage. On a fait un court-métrage d'horreur, ma famille et moi l'an dernier...

Nous ne le laissons pas finir ses explications. Entre deux fous rires, Kat me dit:

— Tu as vraiment le meilleur amoureux du monde, tu sais?

Nous terminons notre route jusqu'au secrétariat, alors que le meilleur des meilleurs continue de se justifier:

— Dans le fond, dessiner sur un visage ou sur une feuille, c'est la même chose, les filles!

EN FAMILLE

Deux jours plus tard, Nathan et moi ne savons toujours pas quoi faire avec nos parents. Ce ne devrait pas être à eux de se soucier de nos relations ? Katerine l'amoureuse, madame la pro de la communication, nous conseille de leur parler directement. Comme l'idée ne nous enchante pas trop, elle ajoute :

— Fabriquez-leur une BD pour leur avouer vos craintes !

— Ah, Kat ! Tu sonnes comme tes revues de filles !

Bob éclate de rire à la suite de ma remarque. Mon amie prend un air offusqué, mais je sais bien que c'est juste pour la forme.

— Arrangez-vous donc avec vos troubles ! finit-elle par lancer en soupirant.

J'ai beau me moquer de Katerine, je n'ai pas plus de solutions ! Et à la maison, la situation n'est pas des plus roses... Après le souper,

je monte à ma chambre pour terminer mes devoirs. En plein milieu d'un numéro de mathématiques, des éclats de voix attirent mon attention. Je ne comprends pas les mots que mes parents s'échangent, mais le ton dit tout. Ils se disputent comme jamais auparavant! J'ouvre ma porte pour essayer de mieux entendre, sans succès. À quoi bon capter leurs phrases; je sais bien quel est le sujet de leur conversation. Et tout ça, c'est de ma faute! C'est aussi ce que me fait sentir le regard assassin de Philipe lorsqu'il passe devant ma chambre. Cette fois-ci, je ne peux pas le contredire...

J'ai soudain besoin d'une énorme dose de réconfort de la part de quelqu'un qui me comprenne. J'appelle donc Nathan. La voix aux accents français de sa mère me répond:

— Ah, Béatrice! Tu tombes bien, je voulais justement te parler !

— Ah oui? dis-je, m'inquiétant tout à coup.

Son ton ne porte pourtant pas de trace de colère...

— Je me demandais si tu accepterais de venir garder Rémi, Alice, Vivi et Math quelques heures après l'école demain soir? Nathan a un entraînement de volleyball.

Soulagée, je réponds :

— Oui, bien sûr !

— GÉNIAL ! Merci ! Je te transfère à ton amoureux !

J'attends quelques secondes, puis Nathan se fait entendre au bout du fil.

— Coucou, ma belle ! Ça va ?

— Ça a déjà mieux été. Mes parents ont failli se lancer des assiettes. Là, ça semble plus calme, mais je te jure, ils ne se sont jamais engueulés comme ça !

— Oh non ! Est-ce que c'est à cause de...

— Je ne sais pas. Mais je ne vois pas d'autres raisons possibles ! Et chez toi ?

— Rien à signaler.

— Vraiment ? Rien d'étrange ? Même pas un petit malaise entre tes parents ?

— Non, vraiment, je n'ai rien vu.

Il n'est peut-être juste pas doué pour remarquer ce genre d'indice ! Le lendemain, je me rends chez mon *chum* avec l'intention de garder l'œil ouvert sur les moindres détails

qui pourraient me laisser penser que la vie n'est pas tout à fait rose dans la maison du bonheur !

Je suis accueillie par Corinne, qui semble de bien bonne humeur, quoiqu'un peu fatiguée. Alice et Rémi accourent vers moi pour m'agripper chacun une jambe. C'est leur façon de me montrer toute leur affection, j'imagine ! Ils m'entraînent ainsi vers le salon, où les deux autres regardent le film *Les Incroyables*.

Corinne salue tout le monde, en spécifiant qu'elle sera de retour dans deux heures, tout au plus. Question d'avoir l'air d'une gardienne compétente, je demande :

— Math, Vivi, vous n'avez pas de devoirs à faire ?

— Euh... non. Les devoirs, ça n'existe pas chez nous !

Ah ! C'EST VRAI ! L'école à la maison ! Je profite de ce sujet pour faire ma petite enquête.

— Vous aimez ça, rester ici plutôt que d'aller à l'école ?

Vivianne répond :

— Dur à dire, on ne connaît rien d'autre.

Mais j'aime beaucoup travailler sur des projets qui me plaisent vraiment !

— Je ne crois pas que j'aurais eu du plaisir à être avec mes parents tous les jours ! fais-je remarquer, avant d'ajouter subtilement :

— Et vos parents, ils vont bien ces jours-ci ?

Oui, bon, côté subtilité, on repassera ! Une fois de plus, c'est Vivianne qui prend la parole.

— Oui. Ils vont bien.

— Maman a été longtemps enfermée dans la salle de bain hier, par exemple, précise Mathieu.

Ah ha ! C'est un indice de taille ! Ou pas. J'espère tellement me tromper ! Corinne est si gentille ! Et mon père ne mérite pas non plus de se faire laisser...

Nathan arrive avant ses parents. Dans sa toute petite chambre, je lui rapporte ce que m'a dit Mathieu. Il hausse les épaules. Une fois de plus, j'ai l'impression qu'il se met la tête dans le sable, mais je n'en rajoute pas. Je n'ai aucune envie que la discussion s'envenime comme la dernière fois ! Nathan m'embrasse sur le front, puis il s'effondre sur son lit, probablement

fatigué à cause de son entraînement. Il tapote le matelas à côté de lui, m'invitant ainsi à le rejoindre. Je m'installe contre lui, le cœur bien au chaud. Il sent le shampooing. Je suis heureuse qu'il ait pris sa douche avant de rentrer à la maison ! HI ! HI ! HI !

Tout à coup, Alice entre sans frapper. Je sursaute si fort que j'envoie mon coude valser droit dans les côtes de Nathan, qui en reste le souffle coupé. Comment en vouloir à ma belle-sœur. Elle est si mignonne avec ses cheveux en boudins et sa petite bouche en cœur ! Puis Vivianne nous crie du salon :

— Voulez-vous jouer à un jeu de société avec nous, les amoureux ?

Nathan fronce les sourcils et chuchote :

— Quelque chose me dit que mes parents ont d'autres préoccupations que ce que tu crois...

— Comme s'assurer qu'on ne reste pas seuls dans ta chambre trop longtemps ?

— Exactement !

Je pouffe de rire, je prends Alice dans mes bras et je saisis la main de Nathan

du côté libre. Nous rejoignons les autres dans le salon, puis nous jouons à Uno jusqu'à l'arrivée, quelques minutes plus tard, de Pierre et de Corinne, un couple tout à fait heureux. En apparence du moins…

LA VÉRITÉ SORT DE LA BOUCHE DES MAMANS

Durant les jours suivants, mes parents ne se sont pas disputés de nouveau, mais je sens encore une certaine tension entre eux. Le vendredi soir, en pleine soirée de filles, je fais une constatation HORRIFIANTE :

— Oh non ! Si ma mère et son père sortaient ensemble, Nathan et moi serions demi-frère et demi-sœur !

— Là, Béa, c'est ridicule ! Soit tu parles à ta mère, soit JE lui parle, soit tu caches un micro et un GPS dans son sac à main pour suivre ses moindres gestes.

Je réfléchis une seconde, le temps d'avaler ma gorgée de limonade rose et de reprendre une poignée de maïs soufflé.

— Tu as sûrement rai…

Mia ne me laisse pas terminer ma phrase :

— Bien sûr que Kat a raison ! Mais je te souhaite que tes soupçons ne soient pas fondés, parce que, juste à l'idée d'embrasser mon demi-frère Pat, le cœur me lève.

Nous nous exclamons toutes de dégoût en même temps. Pat, le demi-frère de Mia, est certainement le gars le plus moche de la galaxie ! En fait, j'exagère. On dirait juste que le haut et le bas de son visage ne sont pas faits pour aller sur la même tête. Il ferait un excellent personnage de BD, cependant. Tiens, tiens ! Quelle bonne idée !

À la fin de la soirée, la mère de Katerine me dépose chez moi. Durant les quelques mètres qui me mènent à l'entrée, je me convaincs de parler à ma mère. Ce soir. Sinon, je dormirai encore aussi mal que les nuits dernières et j'ai vraiment besoin de sommeil, maintenant ! Je me mets à espérer qu'elle soit toujours debout et que papa soit couché, même si c'est plutôt improbable.

Je pousse la porte. La voix de ma mère m'accueille d'un « bonsoir ma chérie ! » qui provient du salon. Je la trouve seule sur le sofa.

— Papa est au lit ?

— Non, il est parti chercher ton frère chez un copain.

— Un ami ? Phil a un ami, maintenant ? C'est nouveau !

Maman me réprimande du regard, mais elle a un demi-sourire amusé. Je prends une grande inspiration et lâche d'un seul coup, telle une bombe, tous mes tracas. Je lui raconte les doutes de Philippe, le courriel de Pierre, leur dîner en tête à tête et la dispute avec papa. Elle reste d'abord figée de surprise, puis elle éclate de rire.

— Béa ! Comment… Pourquoi… Je veux dire…

Elle rit tant, qu'elle n'arrive pas à terminer une phrase. Elle finit par se calmer et par essuyer ses larmes. Elle retrouve son sérieux pour reprendre :

— COMMENT as-tu pu croire une chose pareille ? Je suis extrêmement contente d'avoir repris contact avec Pierre, mais jamais je ne pourrais tomber amoureuse de lui à nouveau ! C'était il y a si longtemps ! On était si jeunes ! Et tu as remarqué son style de vie ?

Tu me vois, enseigner à mes 18 enfants tout l'après-midi avant d'aller chercher mon panier rempli de légumes bio inconnus ? Pas plus que je n'imagine Pierre partir deux semaines dans le sud chaque hiver comme on le fait, ton père et moi ! Quand on a dîné ensemble, on a eu beaucoup de plaisir parce qu'on se racontait des histoires d'il y a 30 ans. Mais dès qu'il me présentait ses projets actuels, je devais me retenir pour ne pas le traiter de dingue. Et je suis sûre qu'en m'écoutant parler de mon travail, il avait envie de bâiller ! Es-tu rassurée ?

— Oui, maman, merci.

Je monte à ma chambre le cœur léger. Je l'entends rire de nouveau. J'ai eu l'air d'une idiote, mais ça ne fait rien. Maintenant, je pourrai dormir tranquille. C'est simplement dommage qu'il soit trop tard pour appeler Nathan.

Avant de m'allonger dans mon lit, je sors le journal de maman de sous le matelas. Encore ce soir, j'hésite à l'ouvrir, cependant. Je n'en reviens pas de savoir qu'une histoire d'amour aussi belle et parfaite que celle de Pierre et de ma mère puisse finir ainsi, quelques décennies plus tard ! Je suis toute à l'envers en songeant que je pourrais un jour n'avoir plus rien en commun avec Nathan. Comment peut-on changer à ce point ?

Finalement, mon cœur léger se dégonfle bien vite et le sommeil ne me visite pas plus que les nuits précédentes. En fin de soirée, quand ma mère monte se coucher aussi, elle cogne à ma porte en m'entendant soupirer.

— Tu ne dors pas, Béatrice ?

Pour une deuxième fois ce soir, je lui confie mes soucis. C'est un record, si on considère que, depuis plusieurs mois, nos conversations se limitent à « Où vas-tu ? » et à « Je serai rentrée à 22 heures » !

— C'est normal de changer en vieillissant, ma chouette. Et ce n'est pas une mauvaise chose !

Elle croit vraiment me rassurer ? J'ai encore plus envie de pleurer ! Elle me fait signe d'attendre quelques instants et disparaît derrière la porte de ma chambre, me laissant seule, découragée, assise au beau milieu de mon lit.

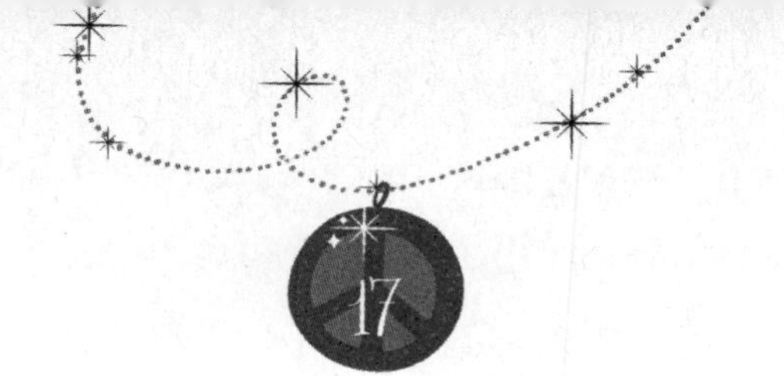

LE CARNET BLEU ET BLANC DE MA MÈRE

Elle revient avec un autre carnet à la main. Il est ligné bleu et blanc, celui-ci. Elle me le tend et me souhaite une bonne nuit.

Intriguée, j'ouvre le livre à la première page.

« Pour ces derniers mois du secondaire, j'ai décidé de reprendre l'écriture d'un journal. J'avais abandonné l'idée en cassant avec Pierre il y a plus d'un an, mais je m'en ennuie. Je précise : je m'ennuie du journal, pas de Pierre ! Ce dernier est toujours un bon ami et c'est très bien ainsi, même si on se voit de moins en moins. »

Je DÉVORE les pages suivantes ! Ma mère y raconte les préparatifs pour son bal de finissants : trouver la robe (je veux absolument voir une photo de sa robe saumon...) et les souliers ; avec son amie Chantal, se faire coiffer tous les samedis par des coiffeuses

différentes afin de dénicher l'architecte du cheveu qui obtiendra le contrat le grand soir venu ; répéter l'expérience pour la maquilleuse. Je prends des notes pour le moment où j'aurai, moi aussi, à régler tous ces petits détails qui feront de moi une princesse finissante. Le soir des soirs venu, maman s'aperçoit que, finalement, les préparatifs étaient beaucoup plus amusants que le bal ! Je retiens cette leçon aussi !

Par la suite, la Nathalie de 17 ans trouve un emploi comme caissière dans une épicerie. Je perds un peu d'intérêt à lire ses déboires avec les clients, mais je comprends pourquoi elle m'a prêté cet autre carnet.

« Un nouvel emballeur est rentré aujourd'hui. Luc. Il a déjà l'air plus brillant que Carl. Lui au moins ne met pas les patates par-dessus les œufs ! Et... je ne dirais pas que c'est un mannequin né... mais il est loin d'être tout à fait laid ! Avec ses cheveux longs et ses yeux bleus, il a déjà fait craquer la moitié des autres caissières ! »

Je ne savais même pas que mes parents s'étaient rencontrés alors qu'ils travaillaient dans un Provigo ! C'est étrange, j'ai toujours

cru qu'ils s'étaient connus au cégep. Encore une fois, j'aurai besoin d'une preuve de l'existence de cheveux longs sur la tête de mon père. Ce devait être hilarant ! Lui qui, à notre époque, ne peut pas supporter que le moindre poil décide de se rebeller !

« Je travaillais de 9 h à 16 h aujourd'hui. Cette journée aurait été infernale (surtout que la madame qui sent le pipi de chat et celle qui paye en cennes noires sont toutes les deux venues !) si Luc n'avait pas passé toute la journée à emballer à ma caisse. Je commence à comprendre pourquoi mes collègues l'apprécient autant. Il est vraiment gentil et serviable. Et quand il soulève des articles plus lourds, on voit super bien les muscles de ses bras sous son chandail ! Chaque fois que les clients achetaient des caisses de bières ou des sacs de quatre litres de lait, j'étais un peu déconcentrée ! HA ! HA ! HA ! »

Mon père ? Musclé ? C'est à mon tour de rire !

« Aujourd'hui, après ma journée à l'épicerie, Luc m'a invitée à aller souper au casse-croûte à côté. Je capotais ! Je capote encore, en fait.

On est pareils ! C'est fou, j'ai l'impression que j'ai eu l'emploi à l'épicerie juste pour pouvoir rencontrer ce gars-là. Dans le fond, c'est peut-être ça, le destin. Il ne faut pas trop que je m'emballe, je ne sais pas si je l'attire vraiment. Après tout, il a invité Hélène la semaine dernière… »

Il est minuit passé. Je devrais peut-être fermer ma lumière et dormir. Mais j'en suis incapable ! Les pages du journal de maman se tournent toutes seules !

« Je n'ai jamais vu une journée se commencer si mal pour se terminer si bien ! Ce matin, un petit gars a vomi dans l'allée des pâtes alimentaires. Et qui a dû ramasser parce que tout le monde avait peur d'être malade ? C'est moi ! Je ne peux pas croire que j'ai déjà rêvé d'avoir trois enfants. C'est tellement salissant, des gamins ! Et il n'y a pas que les petits qui sont salissants. Quelques secondes après, une vieille madame a fait tomber un pot de confiture. Comme je n'étais pas retournée à ma caisse, qui a nettoyé le dégât ? Eh oui ! Encore moi ! Si Luc avait

travaillé à ce moment-là, je suis certaine qu'il se serait sacrifié !

« Plus tard dans la journée, j'ai été appelée dans le rayon des surgelés. J'avoue que je craignais le pire... Au départ, je ne comprenais pas pourquoi on m'y avait fait venir. Vraiment, il n'y avait rien à signaler. Puis j'ai remarqué une flèche en croquettes de poulet gelées qui pointaient vers l'entrepôt. Je m'y suis glissée, intriguée. Derrière la porte, juste à côté d'une grosse boîte pleine de cannes de petits pois, m'attendait Luc, un bouquet de fleurs à la main. “C'est de la part de tous les employés, pour le sale boulot de ce matin”, qu'il m'a dit. Je lui ai demandé pourquoi il était le porte-parole de tout le monde, alors qu'il n'était même pas là. Il a répliqué : “Tu as raison. C'est de moi. Pour te dire que tu es jolie, même quand tu as passé l'avant-midi à ramasser du vomi.” Je l'ai vite entraîné dehors, parce que l'entrepôt est pas mal l'endroit le moins romantique de la terre. Là, je l'ai EMBRASSÉ ! »

Quelle belle scène ! Il ne faut pas trop que je pense qu'il s'agit là de mes parents,

par contre. BRRR ! Après avoir lu ces dernières lignes, je ferme le second journal de ma mère et je dors à poings fermés, enfin convaincue que les amours de jeunesse peuvent bel et bien durer.

Le lendemain, alors que je soupe chez Nathan, j'ai la certitude que notre couple durera très, très longtemps. Je suis si bien avec lui, je vois mal comment les choses pourraient être différentes ! Je sais que nous ferons le tour du monde avec les bandes dessinées que nous créerons et que, quand nous serons très vieux, nous nous bercerons sur la véranda de notre maison de campagne, dans le petit village français où vivent ses grands-parents.

Après le repas, nous donnons donc un coup de main à Pierre pour tout ranger, puis nous nous installons à la longue table de la salle à manger pour travailler sur nos bandes dessinées respectives en vue de l'exposition prévue peu avant Noël. Rémi nous rejoint vite, armé de ses crayons de couleur.

— *Wow !* Rémi ! Tu as le talent de ton grand frère !

— Non, c'est lui qui a le mien ! réplique le bambin.

— Il a aussi mon sens de la répartie, blague Corinne avant de partir à la course vers la salle de bain.

Un peu inquiète, je regarde Nathan, qui sourit comme un imbécile. Il m'explique :

— J'ai déjà vu cette scène. Souvent. TRÈS SOUVENT.

Pierre fait un petit signe de tête pour confirmer qu'il a bien compris. Mais compris quoi ? Devant mon air toujours aussi perdu, Bob précise :

— La famille s'agrandit !

Six enfants ? C'est humainement possible, au XXIe siècle ? Je chuchote alors :

— Nathan, j'ai vraiment envie de passer ma vie entière avec toi. Mais promets-moi une chose : on n'aura pas six enfants, d'accord ?

Bob éclate de rire, contourne la table et me serre très fort dans ses bras, tout en me donnant un énorme baiser sur la joue. Il me chuchote ensuite à l'oreille :

— Peu importe, tant qu'on est ensemble !

Table des matières

Dans la
série
Charme

Marilou Addison
Des bosses, des bleus et des bulles!
978-2-89709-012-8

Émilie Rivard
Coup de foudre en 2 temps
978-2-89709-015-9

Diane Groulx
Amour, soccer et amitiés
978-2-89709-013-5

Geneviève Guilbault
Histoires de filles et de beaux gars!
978-2-89709-014-2